Mon livret de

Rebecca Gaudenti

L'auteure remercie Julien Girault
pour ses relectures attentives.

Nom : ....
Prénom : ....
Classe : ....
Années 20........ - 20..........

Ce manuel applique les recommandations orthographiques de 1990, mentionnées dans le B.O. n° 11 du 26 novembre 2015.

MAGNARD

Sommaire

Couverture Delphine d'Inguimbert et Valérie Goussot
Création maquette intérieure Stéphanie Hamel
Mise en pages Domino
Illustrations Aurélie Bordenave (p. 8, 9, 11, 20, 26, 31, 57), Sylvie Dessert (p.10, 64), Carole Fumat (p. 51, 55, 56, 58, 63), Domino
Responsable d'édition Adrien Fuchs
Édition Élise Magnin
Cartographie Valérie Goncalves, Christel Parolini
Photographies d'expériences Philippe Guignard

www.magnard.fr – ISBN : 978-2-210-11202-5

Dépôt légal : avril 2018 - N° éditeur : MAGSI20200237
Achevé d'imprimer en juin 2020 par Imprimerie Vincent en France

Partie 1

Comprendre et s'exprimer en sciences

Domaine du socle	Compétences	Fiches méthode	Suivi des acquis
Domaine 1 Les langages pour penser et communiquer	**D1.1** Communiquer sur ses démarches, ses résultats et ses choix, en argumentant	Fiche 2 Comprendre une consigne	
		Fiche 3 Rédiger un texte argumenté	
		Fiche 4 S'exprimer à l'oral	
	D1.3 Lire et exploiter des données présentées sous différentes formes	Fiche 1 Extraire l'information utile d'un document	
		Fiche 6 Lire et exploiter un graphique	
		Fiche 9 Lire un arbre de parenté	
	D1.3 Représenter des données sous différentes formes	Fiche 5 Construire un tableau	
		Fiche 7 Construire un graphique	
		Fiche 8 Construire une classification en groupes emboités	

Maitrise insuffisante

Maitrise fragile

Bonne maitrise

J'évalue mes acquis

Fiche 1

Extraire l'information utile d'un document

J'apprends la méthode

Je lis le texte **plusieurs fois** attentivement.

Je repère les **informations** qui permettent de répondre à la consigne.

Je peux **rédiger un texte résumant les informations** récoltées.

Exemple

Surligne le passage évoquant la cause du séisme d'avril 2016 en Équateur.

Le bilan du tremblement de terre d'une magnitude de 7,8 qui a frappé l'Équateur samedi 16 avril 2016 est désormais de « *130 disparus, 646 morts, 12 492 blessés en train d'être soignés, 26 091 personnes sans-abris* », a déclaré le président équatorien Rafael Correa, samedi 23 avril. […]
Plus de 7 000 bâtiments ont été détruits et plus de 26 000 personnes vivent dans des abris depuis le séisme.
L'ONU a lancé un appel aux pays donateurs pour aider en urgence 350 000 personnes au cours des trois prochains mois, sur les 720 000 ayant besoin d'assistance.
Le chef d'État équatorien a évalué les dégâts à environ trois milliards de dollars.
Les chercheurs indiquent que ce séisme est survenu à une profondeur située entre 15 et 30 km au niveau de la zone de subduction liée à la convergence entre les plaques de Nazca et Sud-Amérique.

Extrait du Monde, « Le séisme en Équateur a fait plus de 640 morts », 23 avril 2016.

Je m'entraine

★ Dans le texte ci-dessus, surligne les passages évoquant les conséquences du séisme d'avril 2016 en Équateur.

★★ Résume les causes et les conséquences de ce séisme.

....

....

....

....

....

....

Fiche 2

Comprendre une consigne

J'apprends la méthode

- Je lis la consigne **plusieurs fois** attentivement.
- Je repère le **mot interrogatif** : Comment ? / Pourquoi ? / Quand ? / Qui ? / Où ?
- Je repère le (ou les) **verbe(s) d'action** qui me renseigne(nt) sur **ce que je dois faire** : Citer / Comparer / Déduire / Définir / Démontrer / Identifier / Justifier / Nommer / Concevoir / Expliquer.

Je repère le (ou les) **document(s) que je dois utiliser** (dessin d'observation, résultats d'expérience...).

Exemple

Explique pourquoi, malgré les apparences, le cœlacanthe est plus proche parent de la grenouille que de la sardine.

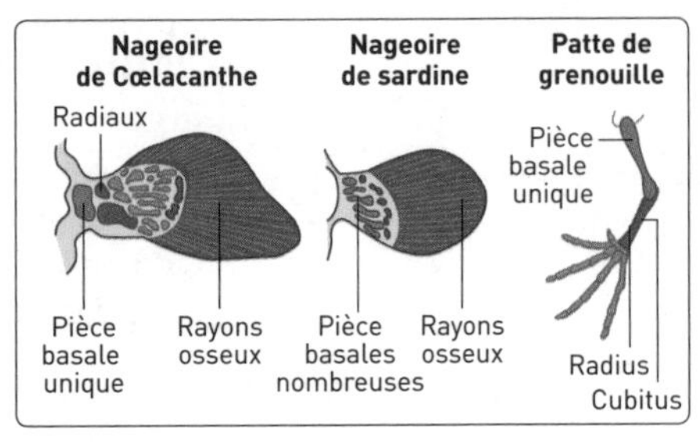

Doc. 1 Nageoire du cœlacanthe comparée aux membres d'autres espèces.

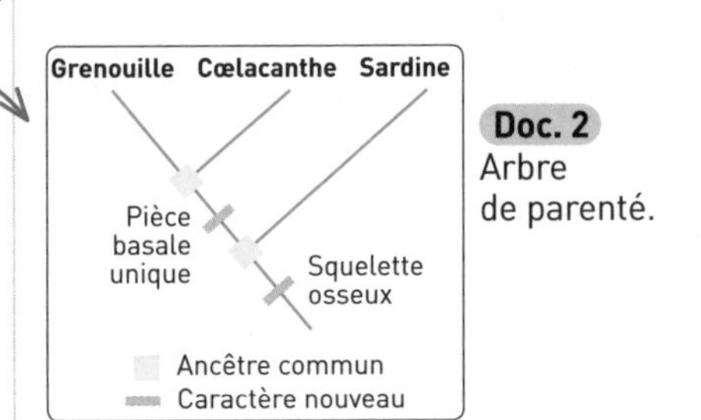

Doc. 2 Arbre de parenté.

Je m'entraine

★ Dans la consigne ci-dessus, entoure en **bleu** les documents que tu dois utiliser. Souligne en **vert** le mot interrogatif et en **rouge** le verbe d'action.

★★ Reformule le travail demandé dans la consigne ci-dessus.

Je dois ....

....

....

....

....

....

....

Fiche 3

Rédiger un texte argumenté

J'apprends la méthode

Je rédige une **phrase d'introduction** qui rappelle la consigne (▸ fiche 2).

Je développe **un argument par paragraphe** en m'appuyant sur les documents.

J'utilise des **connecteurs logiques** pour organiser mes paragraphes.

J'utilise des **outils de comparaison**.

Je **conclus**.

Exemple

On cherche à montrer que le cœlacanthe est plus apparenté à la grenouille qu'à la sardine, malgré les apparences.

La nageoire du cœlacanthe possède trois parties, dont une pièce basale unique comme la patte de grenouille.

En revanche, la nageoire de la sardine possède des rayons osseux comme le cœlacanthe, mais des pièces basales nombreuses.

Sur l'arbre de parenté, on constate que la grenouille et le cœlacanthe ont un ancêtre commun exclusif qui possédait une pièce basale unique et un squelette osseux.

Ils partagent plus de caractères communs, ils sont donc plus étroitement apparentés.

Je m'entraine

★ Dans le texte argumenté ci-dessus, souligne en **rouge** les connecteurs logiques et en **vert** les outils de comparaison.

★★ Compare la nageoire du cœlacanthe et de la sardine en utilisant des outils de comparaison et des connecteurs logiques.

....

....

....

....

....

Fiche 4

S'exprimer à l'oral

J'apprends la méthode

Je m'entraine

Tu participes à une émission de la radio du collège et tu dois argumenter en faveur des déplacements en transports en commun, à vélo ou à pied pour la préservation de l'environnement.

★ Prépare une liste d'arguments concrets en t'aidant des documents.

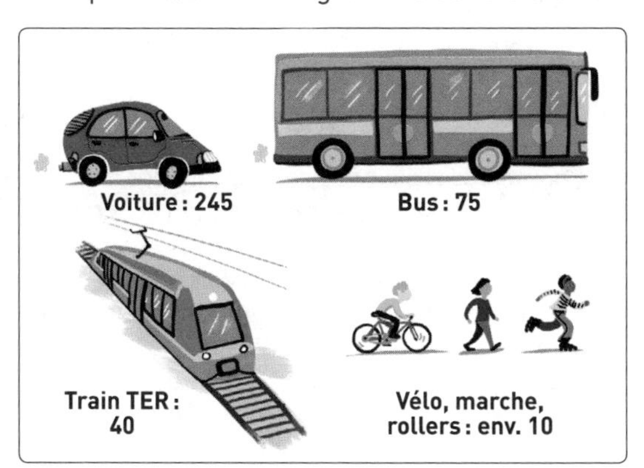

Doc. 1 Émissions de dioxyde de carbone (CO_2) par moyen de transport et par personne (en gramme de CO_2/km).

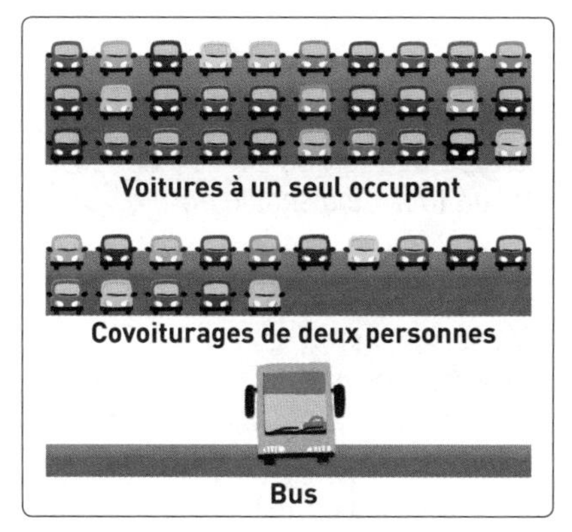

Doc. 2 Nombre de véhicules nécessaires pour transporter 30 personnes.

Arguments	Exemples
....	....
....	....
....	....
....	....
....	....
....	....

★★ Enregistre ta prestation orale.

Conseil Tu peux utiliser un téléphone portable, un dictaphone ou un ordinateur (avec des logiciels d'enregistrement audio comme Audacity).
Évalue-toi en t'aidant de la grille ci-contre.

J'ai réussi si :

- J'ai parlé assez fort et pas trop vite ☹ ☺
- J'ai clairement exposé mes arguments en utilisant le vocabulaire adapté ☹ ☺
- Je n'ai pas eu besoin d'avoir mes notes sous les yeux ☹ ☺
- J'ai parlé en continu, sans tic de langage ☹ ☺

Fiche 5

Construire un tableau à partir de données

J'apprends la méthode

Je **lis le texte** et je détermine le **type de tableau** à réaliser.
Ici, un tableau à simple entrée.

Je détermine le **nom des colonnes** (ou des lignes).
Ici, « Espèces » et « .... ».

Je surligne les **données**.
Ici, les espèces sont en bleu et les organes en vert.

Je détermine le **nombre de colonnes** et de **lignes**.
Ici, 2 colonnes et 4 lignes.

Je **remplis les cases du tableau**.

Je propose un **titre** et je le **souligne**.

Exemple

Présente sous forme de tableau les organes impliqués dans la reproduction asexuée pour chaque espèce citée dans le texte.

De nombreuses plantes se multiplient par reproduction asexuée. Les organes impliqués dans ce type de reproduction sont différents selon les végétaux. L'ail possède des bulbilles qui peuvent se détacher pour former un nouvel individu. La fougère possède une tige souterraine rampante, le rhizome. Le fraisier produit des tiges appelées stolons, qui courent à la surface du sol.

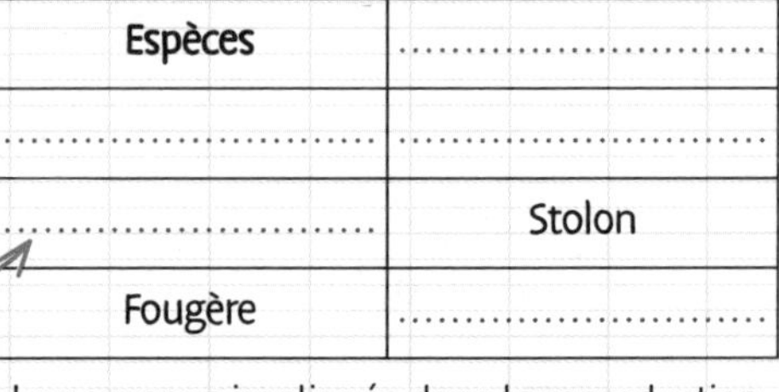

Espèces	....
....	....
....	Stolon
Fougère	....

Les organes impliqués dans la reproduction asexuée chez trois végétaux

Je m'entraine

★ Complète la méthode et le tableau de l'exemple ci-dessus.

★★ Remplis le tableau pour présenter la nature de chacune des couches du globe terrestre.

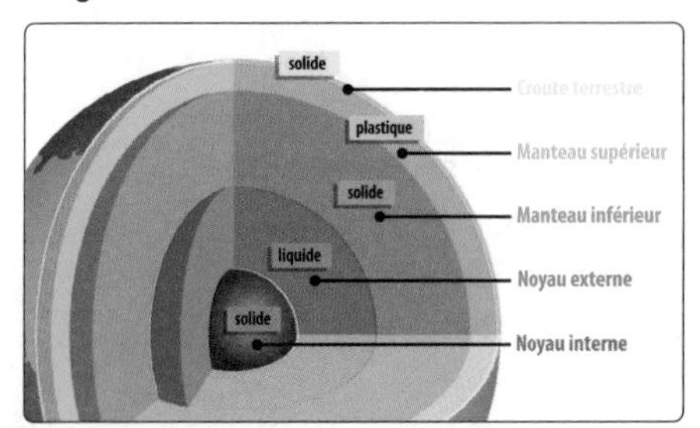

....	....
....	....
....	....
....	....
....	....
....	....

Lire et exploiter un graphique

Un **graphique** représente les données d'une **grandeur mesurée** (sur l'axe des **ordonnées**) en fonction d'une **variable** (sur l'axe des **abscisses**).

J'apprends la méthode

- Je repère le **point maximum** et le **point minimum** des courbes.
- Je **lis les données chiffrées** correspondantes.
Ici, je lis 10 et 2 pour la population de loutres de mer.

Je déduis à partir de ces données **comment varie la grandeur mesurée en fonction de la variable** : elle **augmente**, **diminue** ou **reste constante**.
Ici, le nombre de loutres passe de 10 à 2 unités arbitraires en 28 ans. Donc la population de loutres diminue.

Exemple

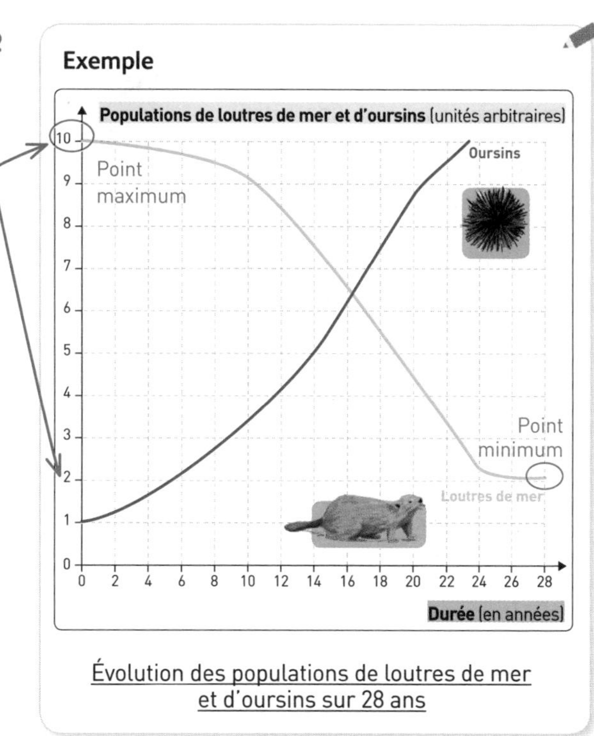

Évolution des populations de loutres de mer et d'oursins sur 28 ans

Je m'entraine

★ Comment évolue la population d'oursins en 28 ans ? Complète les phrases ci-dessous.

Le nombre d'oursins passe de ....

Donc la population d'oursins ....

★★ Sachant que la loutre se nourrit principalement d'oursins, pourquoi la chaîne alimentaire est-elle perturbée avec la diminution des loutres en Alaska ?

....

....

....

....

Fiche 7

Construire un graphique

► fiche 27 p. 42

J'apprends la méthode

Exemple

Un jeune joueur de rugby réalise des exercices d'intensité croissante ; les données sont regroupées dans le tableau ci-contre.

Puissance musculaire* (en watt)	90	130	170	210	250	290	330
Volume d'O_2 consommé (en ml/min/kg)	26	32,4	43,1	52,7	62,5	65,5	65,5

* La puissance est l'énergie consommée par seconde.

Construis la courbe de la fréquence cardiaque en fonction de la puissance musculaire.

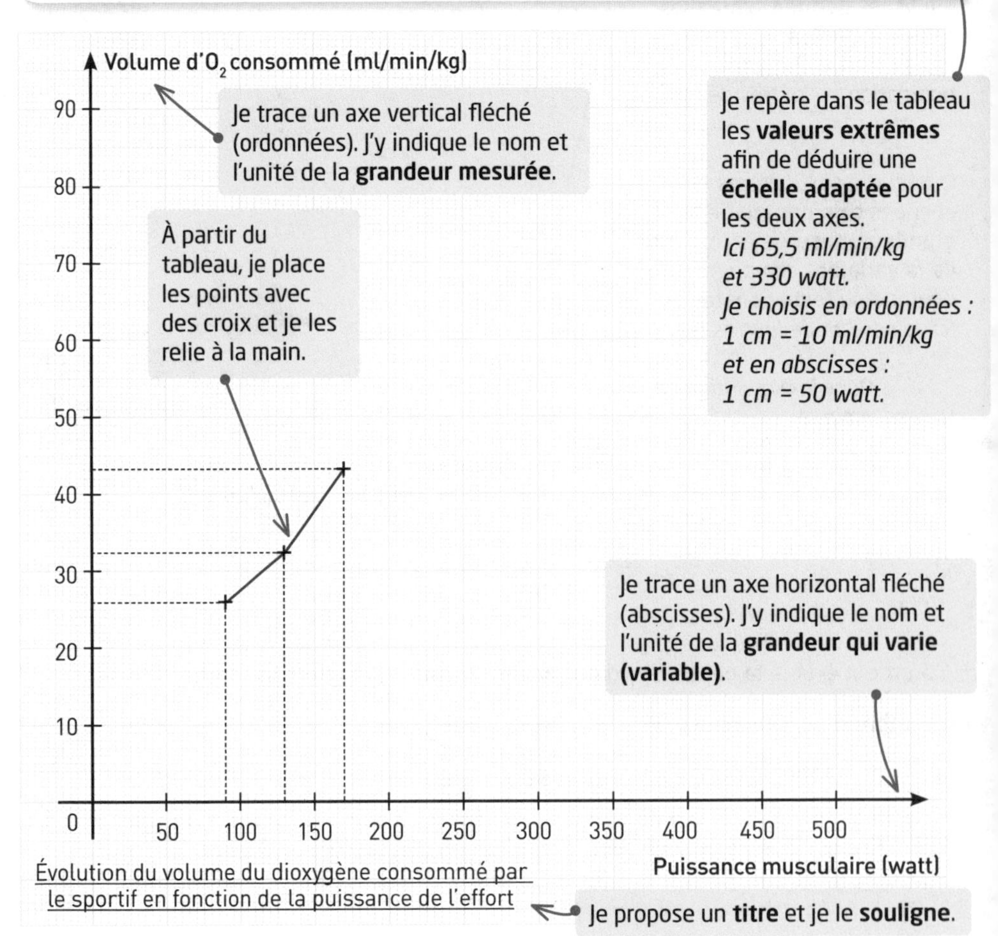

Évolution du volume du dioxygène consommé par le sportif en fonction de la puissance de l'effort

Je m'entraine

★ Sur le graphique ci-dessus, place les autres points à partir des données du tableau. Termine de relier ces points à la main au crayon à papier.

★★ À partir du tableau ci-dessous, construis un graphique qui représente l'augmentation de la taille du fœtus au cours de la grossesse. Propose un titre.

Mois de grossesse	Stade embryon		Stade fœtus						
	1	2	3	4	5	6	7	8	9
Taille (en cm)	0,4	3	11	15	30	36	40	45	50

Échelle :

- En ordonnée : 1 cm = ...
- En abscisse : 1 cm = ...

Fiche 8

Construire une classification en groupes emboités

▸ fiche 31 p. 46

Les **groupes emboités** se construisent en fonction des **caractères** (ou attributs) que possèdent les **êtres vivants**. Chaque groupe, ou boite, est défini par un caractère. Si deux espèces partagent un caractère, elles sont placées dans la même boite.

J'apprends la méthode

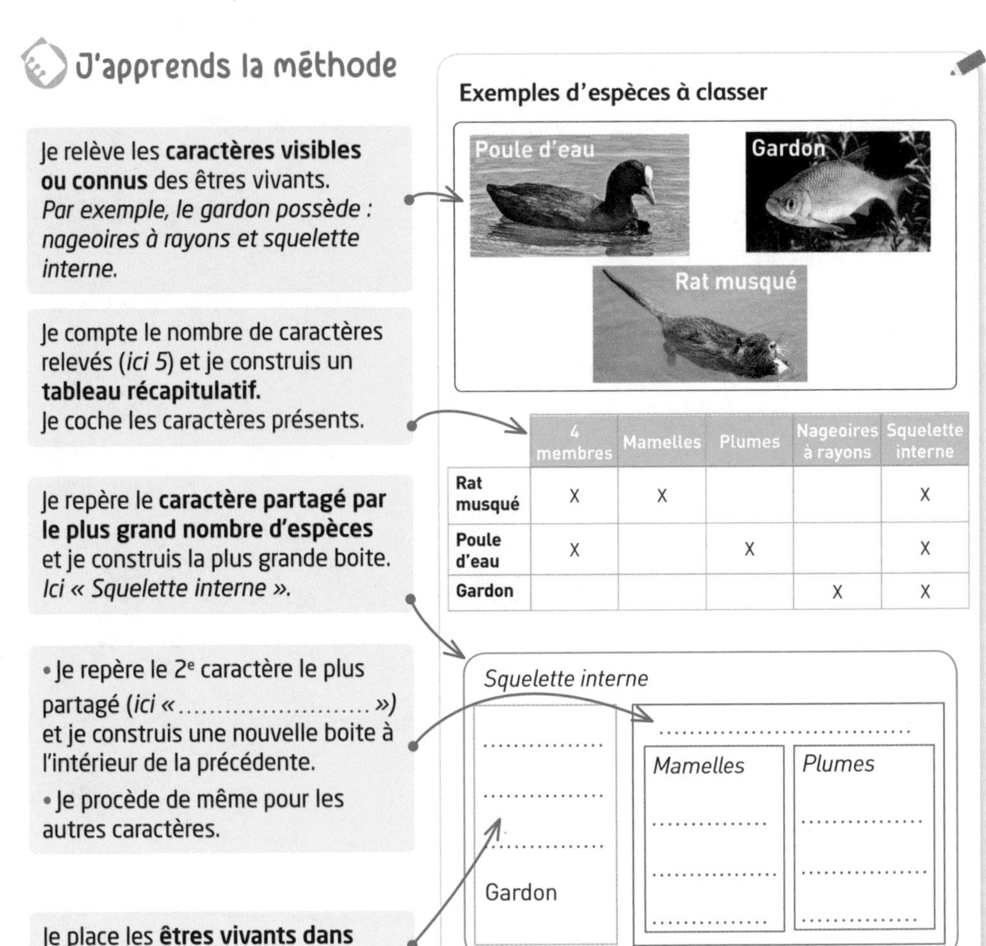

Je relève les **caractères visibles ou connus** des êtres vivants.
Par exemple, le gardon possède : nageoires à rayons et squelette interne.

Je compte le nombre de caractères relevés (*ici 5*) et je construis un **tableau récapitulatif.**
Je coche les caractères présents.

Je repère le **caractère partagé par le plus grand nombre d'espèces** et je construis la plus grande boite.
Ici « Squelette interne ».

- Je repère le 2e caractère le plus partagé (*ici « .... »*) et je construis une nouvelle boite à l'intérieur de la précédente.
- Je procède de même pour les autres caractères.

Je place les **êtres vivants dans les boites**.

Exemples d'espèces à classer

	4 membres	Mamelles	Plumes	Nageoires à rayons	Squelette interne
Rat musqué	X	X			X
Poule d'eau	X		X		X
Gardon				X	X

Je m'entraine

★ Complète la méthode et l'exemple avec les mots ci-dessous.
Un mot peut être utilisé plusieurs fois.

Poule d'eau | Rat musqué | 4 membres | Nageoires à rayons

Fiche 9

Lire un arbre de parenté

Un **arbre de parenté**, ou **arbre phylogénétique**, représente les **relations de parenté** entre des **espèces** supposées avoir un ancêtre commun. Il permet de visualiser l'évolution des espèces au cours du temps.

J'apprends la méthode

À **chaque nœud de l'arbre** correspond un **ancêtre commun** qui possède un **caractère nouveau**.
Ici, l'ancêtre est commun à toutes les espèces de l'arbre.

L'ancêtre commun de la poule d'eau et du gardon est aussi l'ancêtre du rat musqué.
Ici, il possède le caractère 1.

Exemple

Établis des liens de parenté entre les espèces de la fiche 8 p. 14.

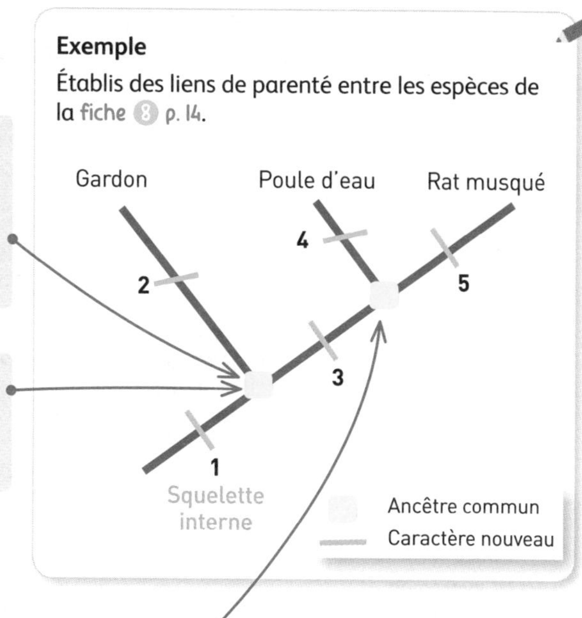

Le rat musqué et la poule d'eau partagent un ancêtre commun exclusif qui possède un caractère nouveau *(ici le 3)*. Ils ont 2 caractères en commun, ils sont proches.

Je m'entraine

★ D'après l'arbre de parenté de l'exemple, explique pourquoi la poule d'eau est plus proche du rat musqué que du gardon, d'un point de vue évolutif.

....

....

....

★★ À partir de la classification en groupes emboités de la fiche 8 p. 14, retrouve le nom des caractères numérotés sur l'arbre de parenté ci-dessus.

2 : .... 4 : ....

3 : .... 5 : ....

Partie 2

Pratiquer une démarche scientifique

Domaine du socle	Compétences	Fiches méthode	Suivi des acquis ☹ 😐 ☺
Domaine 4 Les systèmes naturels et les systèmes techniques	**D4** Mener une démarche scientifique, résoudre un problème	Fiche 10 La démarche scientifique	
		Fiche 11 Formuler un problème scientifique	
		Fiche 12 Proposer des hypothèses	
		Fiche 13 Concevoir et mettre en œuvre un protocole expérimental	
		Fiche 14 Exploiter des résultats expérimentaux	
	D4 Utiliser des instruments d'observation, de mesures et des techniques de préparation et de collecte	Fiche 15 Mesurer des grandeurs physiques	
		Fiche 16 Observer et identifier des êtres vivants	
		Fiche 17 Réaliser une préparation microscopique	 
		Fiche 18 Observer à la loupe binoculaire et au microscope	

Maitrise insuffisante | Maitrise fragile | Bonne maitrise

J'évalue mes acquis

La démarche scientifique

Face à une situation que l'on cherche à comprendre, il est possible de mettre en œuvre une **démarche scientifique**. Cette méthode n'est pas unique et toutes les étapes ne sont pas forcément nécessaires pour **résoudre un problème**. Néanmoins, en voici quelques-unes qui peuvent te guider.

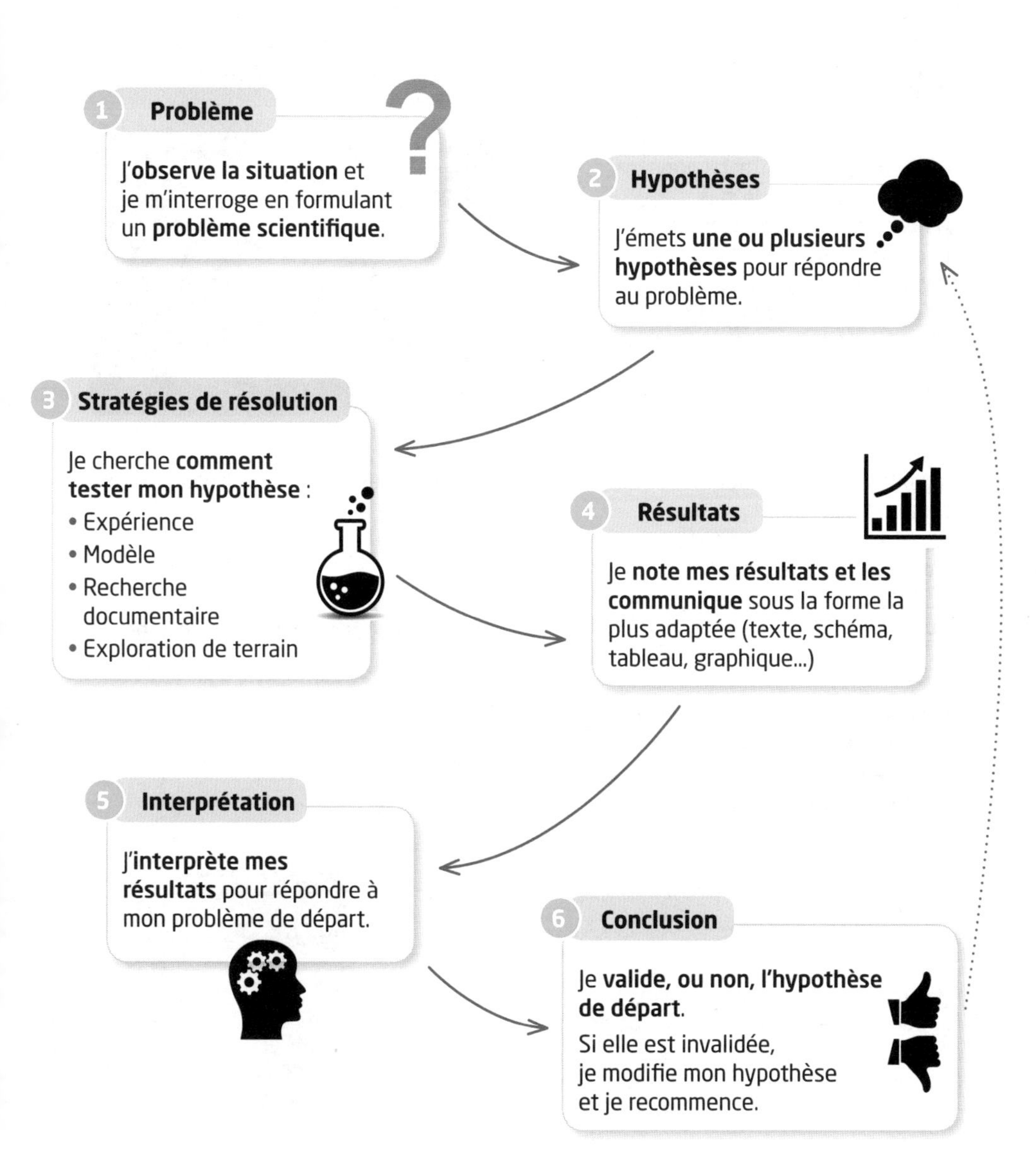

Fiche 11

Formuler un problème scientifique

Énoncer un problème en sciences permet d'**initier une démarche scientifique** et d'acquérir de nouvelles connaissances.

J'apprends la méthode

Face à une situation, **j'observe l'environnement**. *Ici, une partie du parc du château est inondée.*

Je **fais des liens** entre ce que j'observe et ce que je sais.
*Dans ce cas, une inondation peut être due à des pluies importantes c'est l'**aléa**.*
*La position géographique de Chambord par rapport au Cosson est un **enjeu**.*

Je me pose des questions qui m'aident à **formuler un problème**.
Ici, le problème me permettra d'amorcer une démarche scientifique sur la notion de risque.

Je rédige une **question ouverte** qui commence par un mot interrogatif, le plus souvent *comment* ou *pourquoi*.

Exemple

En juin 2016, pour la première fois depuis sa construction en 1519, le parc du château de Chambord est noyé par les eaux du Cosson, affluent de la Loire.

→ Est-ce que les salles du château ont été inondées ?

→ Est-ce qu'on peut prévoir les précipitations ?

→ Peut-on empêcher le Cosson de déborder ?

→ Pourquoi Chambord n'a-t-il jamais été inondé avant 2016 ?

Comment protéger Chambord du risque d'inondation ?

Je m'entraine

★ En mars 2010, un volcan islandais entrait en éruption et perturbait le trafic aérien de l'Europe pendant plusieurs semaines. À partir de cette situation, formule un problème scientifique.

....

....

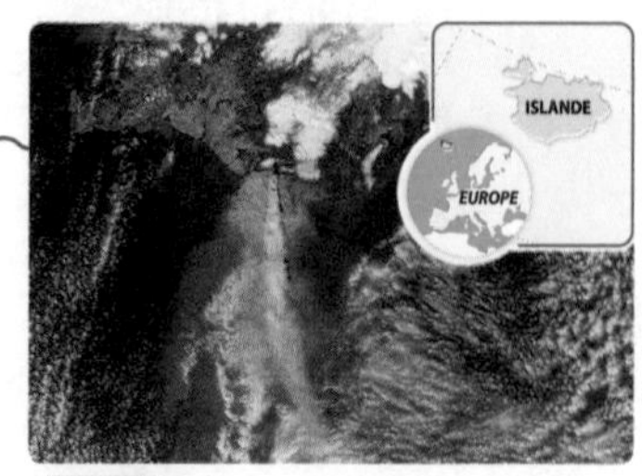

Doc. 1 Image satellite du nuage de cendres volcaniques et de gaz (17 mars 2010).

Fiche 12

Proposer des hypothèses

Une **hypothèse** est une **proposition de réponses** à un problème scientifique.

J'apprends la méthode

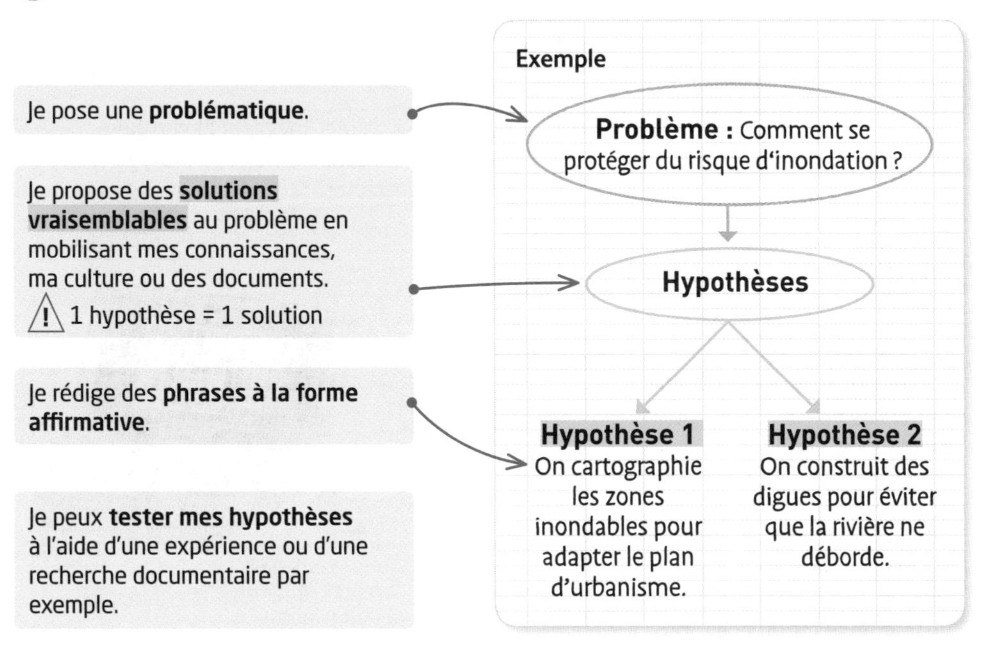

Je m'entraine

★ Propose une manière de tester l'hypothèse 2.

....

....

....

★★ Propose deux hypothèses répondant au problème suivant :

Comment éviter une contamination par des micro-organismes ?

....

....

....

....

Fiche 13

Concevoir et mettre en œuvre un protocole expérimental

J'apprends la méthode

Je repère le **paramètre à tester** dans l'hypothèse. *Ici, la consommation du dioxygène par le muscle.*

Je cherche **comment mesurer ce paramètre.** *Je sais qu'une sonde à dioxygène permet de mesurer la quantité de dioxygène rejetée par le muscle. Je pense à une expérience à réaliser.*

Sous la forme d'un schéma, je propose **deux montages**, un **test et un témoin**. Ils ne présentent qu'une seule différence de manière à ne **tester qu'un paramètre.** *Ici, la différence est la présence ou non de muscle frais.*

À partir du schéma, je **détermine le matériel** dont j'ai besoin ainsi que le **déroulement de l'expérience** (la durée, les moments d'observation...)

- J'organise mon plan de travail.
- Je **manipule proprement** en respectant les **consignes de sécurité.**

Exemple

Je cherche à valider/invalider l'hypothèse : « Les muscles consomment du dioxygène pour se contracter ».

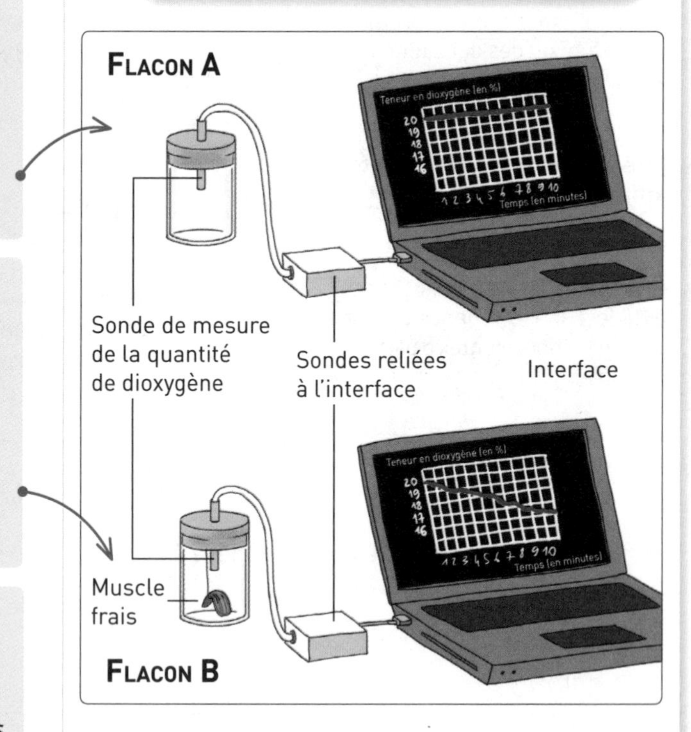

Matériel :
Une sonde à dioxygène
Un dispositif expérimental
Un ordinateur
Une cuve hermétique
Un morceau de muscle frais

Je m'entraine

★ **1.** D'après le dessin de l'expérience ci-contre, indique le flacon de l'expérience témoin.

....

2. Pourquoi est-il important que le muscle soit frais?

....

....

....

★★ **On cherche à mettre en évidence que le muscle rejette du dioxyde de carbone.**

1. Indique le paramètre à tester.

....

....

2. Schématise un protocole expérimental possible pour tester cette hypothèse.

J'ai réussi si :

- J'ai conçu deux dispositifs (un test et un témoin) ☹ ☺
- J'ai testé un seul paramètre ☹ ☺
- J'ai légendé le matériel ☹ ☺

Fiche

14 Exploiter des résultats expérimentaux

 J'apprends la méthode

Exemple

Pour mettre en évidence la respiration d'un être vivant, je réalise les expériences suivantes (A et B) afin de tester l'hypothèse : « Les vers de farine respirent ».

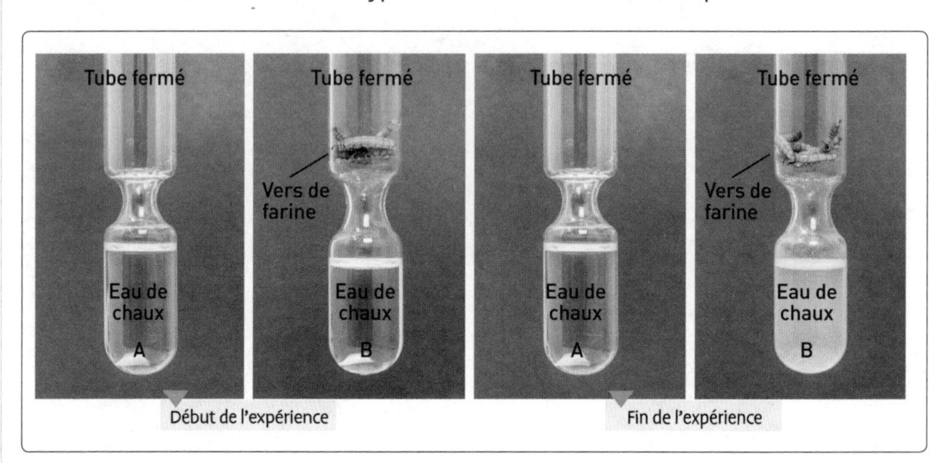

J'**observe les résultats** et je les **décris**.

J'observe l'aspect de l'eau de chaux dans les deux tubes en fin d'expérience :
En absence de vers de farine → l'eau de chaux est transparente.
En présence de vers de farine → l'eau de chaux se trouble.

J'**interprète** les résultats.

J'ai observé que l'eau de chaux se trouble en présence des vers de farine. Or, ce réactif se trouble uniquement en présence de dioxyde de carbone. J'en déduis que les vers de farine ont rejeté du dioxyde de carbone.

Je **rédige une conclusion** qui valide ou réfute mon hypothèse de départ.

Les vers de farine rejettent du dioxyde de carbone, ils respirent.
Mon hypothèse est validée.

Rappel !
L'eau de chaux est un réactif transparent qui blanchit en présence de dioxyde de carbone.

Je m'entraine

★ Dans l'expérience ci-contre, identifie l'expérience témoin. Justifie ton choix.

....

....

....

★★ Un élève souhaite tester l'hypothèse suivante : « La digestion est plus efficace à la température du corps, soit 37°C, qu'à 0°C ou 90°C. » Il réalise l'expérience suivante.

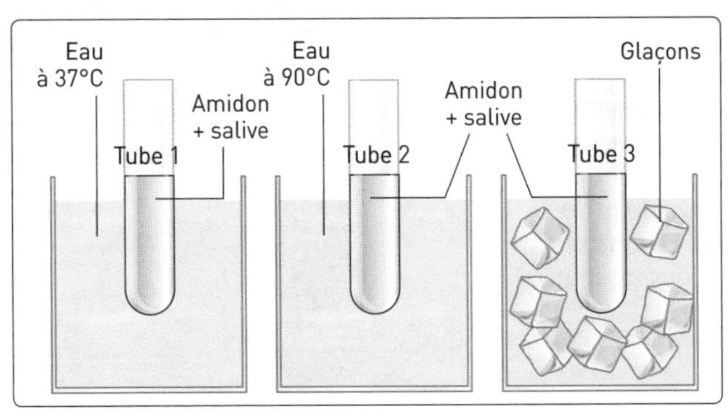

Il prélève 1 ml de chaque tube au bout de 15 minutes et réalise un test à l'eau iodée. L'eau iodée donne une coloration violet foncé à noir en présence d'amidon.

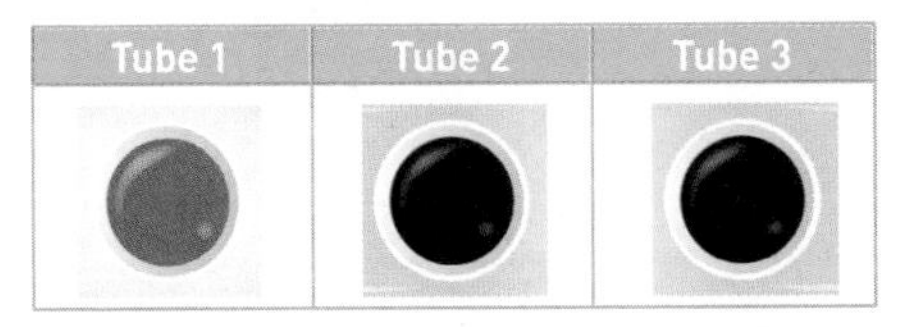

1. De la même manière que pour le tube 2, décris les résultats obtenus dans les tubes 1 et 3.

Tube 1 : ....

....

Tube 2 : l'eau iodée se colore en violet foncé donc il reste de l'amidon dans le tube 2.

Tube 3 : ....

....

2. Coche la bonne conclusion.

☐ La digestion est plus efficace à 90°C, l'hypothèse est donc réfutée.

☐ La digestion est plus efficace à 37°C, l'hypothèse est donc validée.

☐ La digestion est plus efficace à 0°C, l'hypothèse est donc réfutée.

Fiche 15

Mesurer des grandeurs physiques

Une **grandeur physique est une caractéristique d'un objet que l'on peut mesurer**. Ce sont par exemple la vitesse, le temps, la pression, la température, la fréquence cardiaque...

J'apprends la méthode

La fréquence cardiaque se mesure en comptant le nombre de battements du cœur par minute. Il est possible de l'estimer en prenant son pouls au niveau du poignet ou du cou. Je compte alors le nombre de pulsations ressenties pendant 60 secondes.

Je peux aussi utiliser un cardio-fréquencemètre (capteur placé sur la peau). Il mesure instantanément la fréquence cardiaque.

Exemple

Mesure ta fréquence cardiaque au repos.

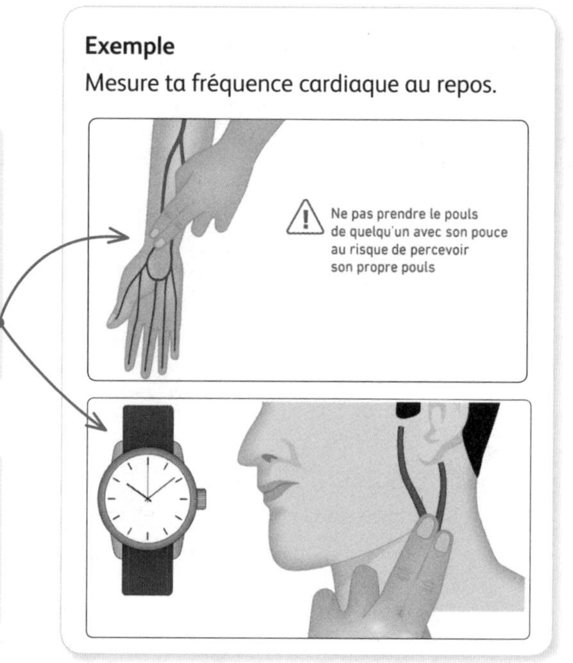

Je m'entraine

★ Explique comment tu peux mesurer ta fréquence cardiaque pendant une séance de course à pied durant le cours d'EPS.

....

....

★★ On utilise des appareils de mesure de météorologie. Complète le tableau ci-contre.

Appareil de mesure	Grandeur physique mesurée
....	Température
Hygromètre	....
....	Pression atmosphérique
Pluviomètre	....

Fiche 16

Observer et identifier des êtres vivants

Une **clé de détermination** est un outil permettant d'**identifier un être vivant ou une roche** à partir de **caractères qui les distinguent** (par exemple, la forme des pattes, la forme des feuilles...).

J'apprends la méthode

Comment utiliser une clé de détermination ?

Je pars d'une **caractéristique générale** ... → ... puis je fais un choix entre deux **caractéristiques plus précises**... → ... pour **identifier l'animal**.

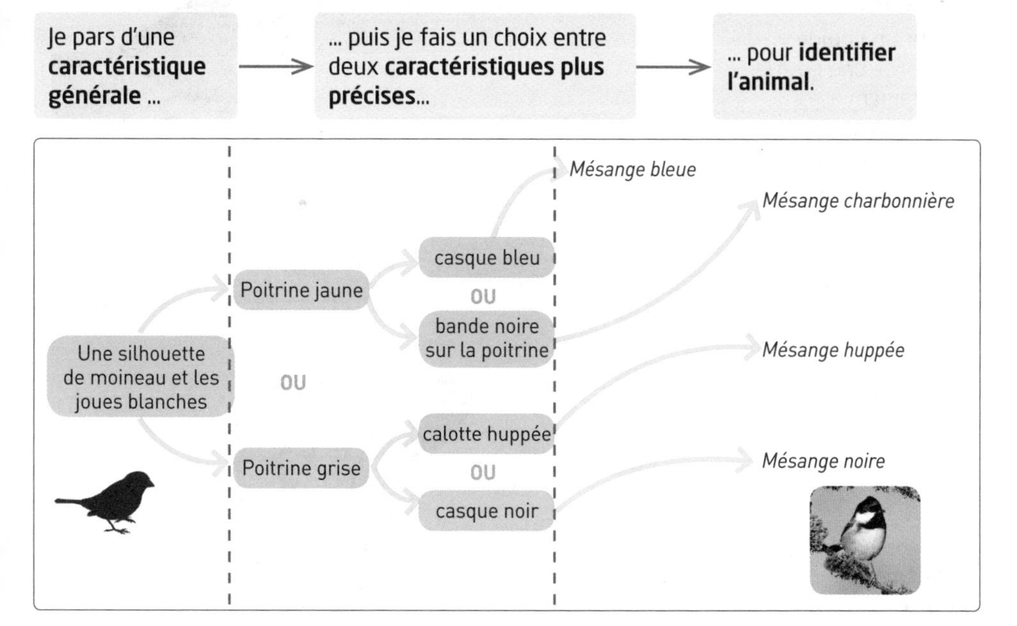

Je m'entraine

★ Indique les caractères que possède la mésange noire à l'aide de la clé ci-dessus.

....

....

★★ Retrouve le nom des 4 mésanges en utilisant la clé ci-dessus.

....

....

....

....

....

....

Fiche

17 Réaliser une préparation microscopique

J'apprends la méthode

Je place au centre de la lame l'échantillon à observer.

- **Pour un liquide :** je dépose une goutte directement avec le compte-goutte.
- **Pour un solide :** je dépose d'abord l'échantillon avec la pince puis j'ajoute une goutte d'eau par-dessus.

Exemple

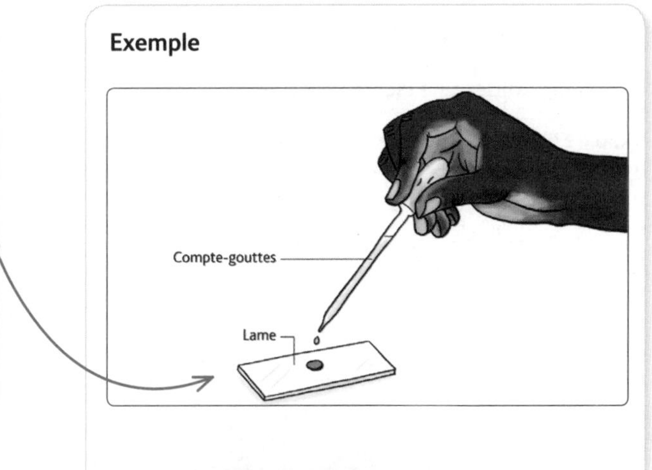

Je recouvre la préparation avec la lamelle :

- je la prends par ses deux côtés ;
- je l'appuie sur un troisième côté contre la lame ;
- je l'approche doucement de la lame, puis je la lâche.

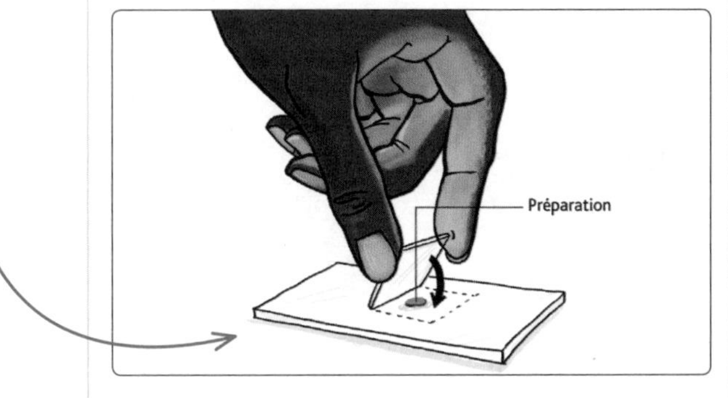

Avant d'observer, je m'assure que la préparation est réussie.

- Je vérifie que le liquide n'a pas coulé à côté de la lamelle.
Si c'est le cas, j'absorbe délicatement le liquide avec le papier buvard.
- Je vérifie qu'il n'y a pas de bulle d'air.
Si c'est le cas, je rajoute un peu de liquide au bord de la lamelle.

! Les lames et les lamelles se saisissent en posant les doigts sur l'extrémité ou sur la tranche.
La préparation se manipule à plat.

Je m'entraine

★ En te référant à la méthode ci-contre, entoure le dessin de la lame qui répond à tous les critères de réussite d'une préparation microscopique.

Échantillon
Lamelle

★★ On cherche à montrer que les mouvements des cils de la branchie d'une moule peuvent s'arrêter lorsqu'on injecte de l'extrait de laurier rose.

Coche la bonne réponse.

☐ J'injecte l'extrait de laurier rose directement après avoir recouvert le fragment de branchie avec la lamelle.

☐ J'injecte l'extrait de laurier rose à côté de la lamelle, après avoir observé au microscope la mobilité des cils de la branchie.

☐ J'injecte l'extrait de laurier rose avant de recouvrir la branchie avec la lamelle.

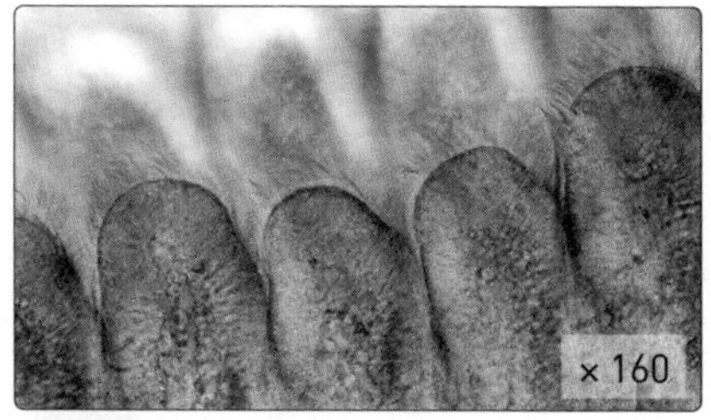

Doc. 1 Observation au microscope optique d'un fragment de branchie en présence d'extrait de laurier rose.

! L'extrait de laurier rose contient du poison très toxique, le cyanure. Il empêche les cellules ciliées d'utiliser le dioxygène présent dans l'eau de mer.

★★ Replace les photos dans l'ordre des étapes pour réaliser l'observation microscopique des réserves d'amidon dans les cellules de pomme de terre.

Ordre : ....

a

b

c

× 40

d

Rappel !
Le Lugol est un réactif qui colore l'amidon en bleu violet.

Fiche 18

Observer à la loupe binoculaire

J'apprends la méthode

Pour observer à la loupe binoculaire

La **loupe binoculaire** permet d'observer des détails sur des objets en relief de petite taille. Elle grossit de 20 à 40 fois.

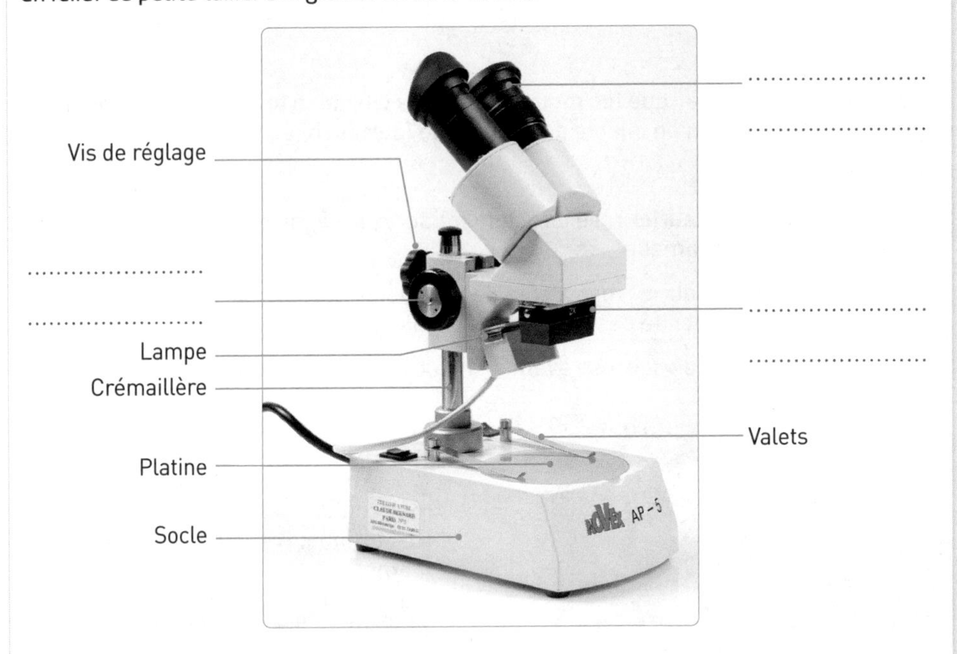

1. Je place l'objet sur la platine.
2. J'allume la lampe.
3. Je règle l'écartement des oculaires par rapport à mes yeux.
4. Je réalise la mise au point en tournant la vis jusqu'à ce que l'image soit nette.
5. J'explore l'objet en le déplaçant doucement sur la platine et en modifiant la mise au point si nécessaire.

Je m'entraine

★ Complète les légendes ci-dessus à l'aide des mots suivants. Un mot peut être utilisé plusieurs fois.

Objectif — Oculaire — Petite vis — Grosse vis — Vis de mise au point

Je retiens

Pour calculer un grossissement je multiplie le chiffre indiqué sur l'oculaire par le chiffre présent sur l'objectif.

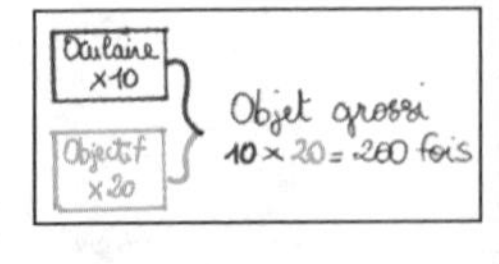

et au microscope

Pour observer au microscope

Un **microscope optique** permet d'observer des objets très fins.
Il grossit de 40 à 600 fois (pour les microscopes utilisés au collège).
Les échantillons visualisés sont plats et sans relief.

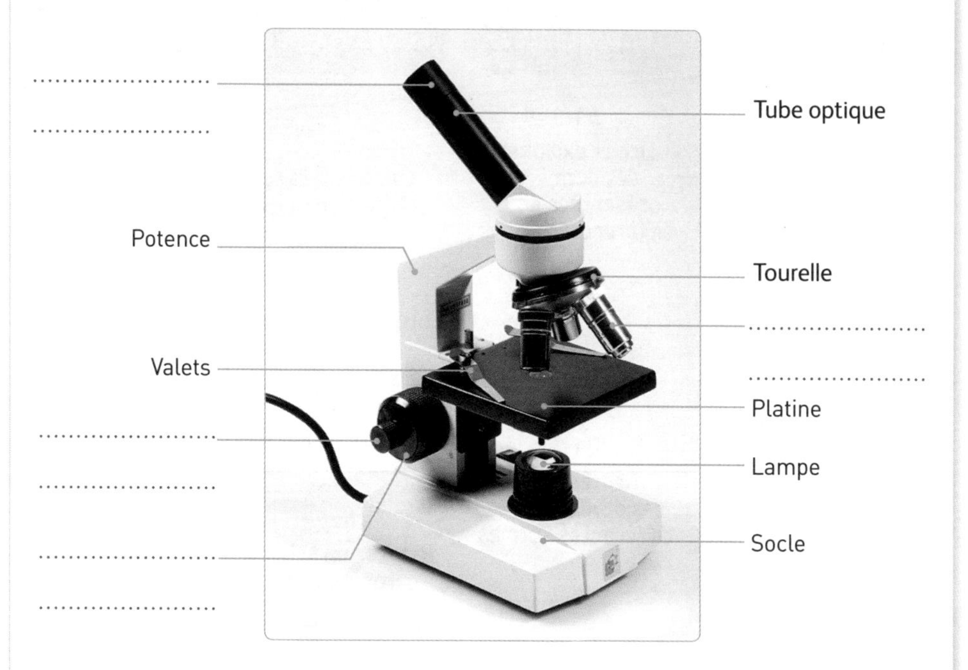

1. Je vérifie que l'objectif le plus petit est placé dans le prolongement de l'oculaire.
2. Je dépose la lame au centre de la platine et j'allume la lumière.
3. Je fais la mise au point en utilisant la grosse et la petite vis jusqu'à ce que l'image soit nette.
4. J'explore l'objet en le déplaçant doucement.
5. Je change d'objectif pour agrandir l'objet et je refais la mise au point.

★★ Indique avec quel matériel cet échantillon peut être observé. Justifie ta réponse.

....

....

....

× 10

Doc. 1 Observation d'une jeune racine.

Partie 3

Représenter et modéliser en sciences

Domaines du socle	Compétences	Fiches méthode	Suivi des acquis ☹ 😐 ☺
Domaine 1 Les langages pour penser et communiquer	D1.3 Lire et exploiter des données présentées sous différentes formes	Fiche 20 Calculer la taille réelle d'un objet	
	D1.3 Représenter des données sous différentes formes	Fiche 19 Construire une carte mentale	
		Fiche 21 Réaliser un dessin d'observation	
		Fiche 22 Réaliser un schéma fonctionnel	
		Fiche 23 Réaliser une frise chronologique	
Domaine 4 Les systèmes naturels et les systèmes techniques	D4 Communiquer sur ses démarches, ses résultats et ses choix en argumentant	Fiche 24 Faire un compte-rendu d'expérience	
	D4 Identifier et choisir des modèles simples pour mettre en œuvre une démarche scientifique	Fiche 25 Modéliser en sciences	

☹ Maitrise insuffisante — 😐 Maitrise fragile — ☺ Bonne maitrise

J'évalue mes acquis

Fiche 19

Construire une carte mentale

▸ fiche 28 p. 43

La **carte mentale** est une représentation graphique qui permet de **résumer** et d'**organiser ses idées**. C'est un bon outil pour mémoriser ou réviser son cours.

J'apprends la méthode

Au centre d'une feuille blanche, j'écris le **thème étudié**.
Ici, « Lutter contre une infection ».

Je **liste les idées** sur un brouillon.
Ici, je pense par exemple à « réponse rapide au site d'infection, signes d'inflammation, élimination des micro-organismes... »

J'**organise les idées en sous-thèmes** en utilisant des mots-clés ou des phrases courtes.

- Je dessine une **branche par sous-thème puis par idée**.
- Je peux utiliser des couleurs et des formes géométriques différentes.

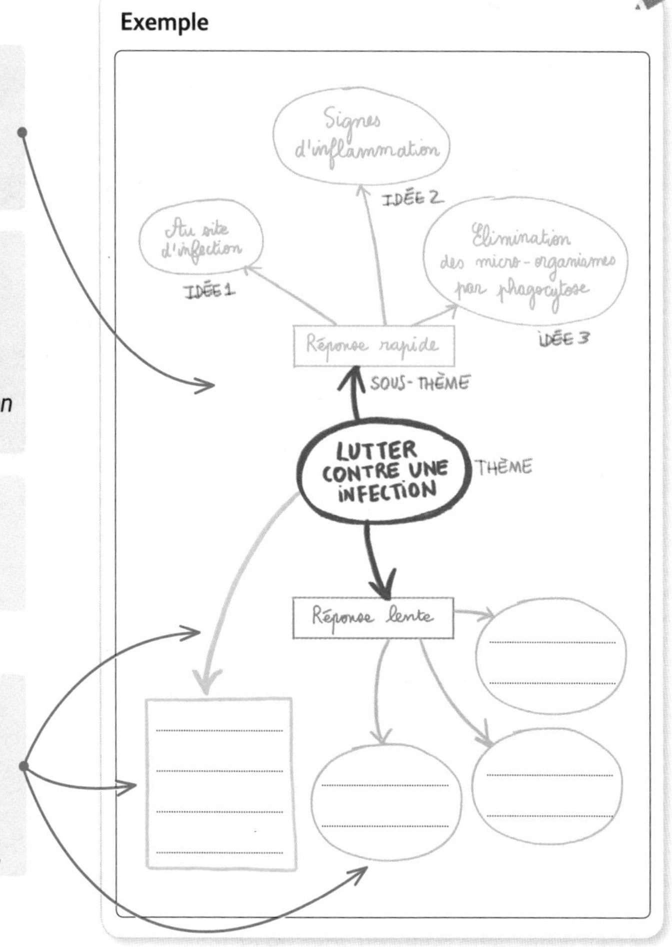

 Je m'entraine

★ Souligne les sous-thèmes et entoure les idées dans la liste de mots clés suivants :

lymphocytes mémoires, utilisation d'antibiotiques contre les bactéries, lymphocytes B, lymphocytes T.

★★ Complète l'exemple ci-dessus avec les mots-clés de l'exercice précédent. 

Fiche 20

Calculer la taille réelle d'un objet

J'apprends la méthode

Je **repère l'agrandissement** indiqué sur la photographie : ....

Cela signifie que la cellule est grossie .... fois, elle est donc .... fois plus petite dans la réalité.

- Je **mesure avec une règle** la taille de la cellule.
- Je note la longueur mesurée : .... cm.

Exemple

Calcule la taille réelle d'une cellule intestinale.

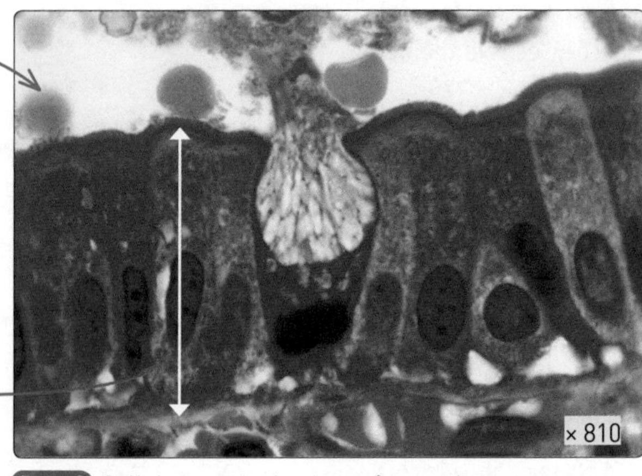

Doc. 1 Cellule intestinale observée au microscope optique.

Pour trouver la longueur réelle de la cellule, je **divise la longueur mesurée par l'agrandissement** : ..../............= .... cm.

Je m'entraine

★ Complète le texte de la méthode. Chaque nombre peut être utilisé plusieurs fois.

3,5 | 810 | 0,0043 | × 810

★★ Calcule la taille réelle du grain de pollen et du tube pollinique.

....

....

....

....

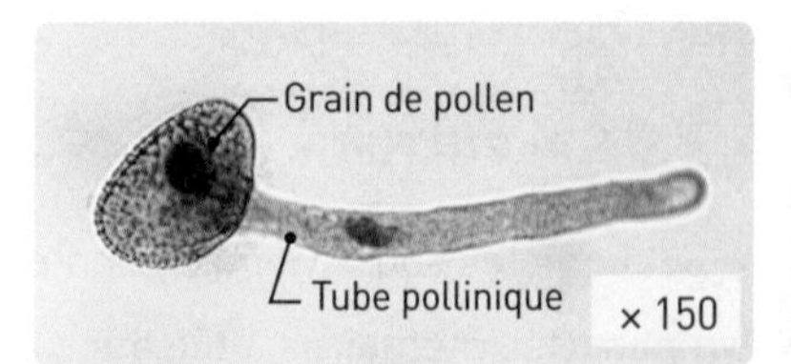

Doc. 2 Coupe d'un tube pollinique au microscope optique.

Réaliser un dessin d'observation

J'apprends la méthode

Exemple

Dessine un spermatozoïde visible sur la photographie prise à l'aide d'un microscope optique.

Je **repère sur la photographie l'objet** à dessiner.
Ici, un spermatozoïde.

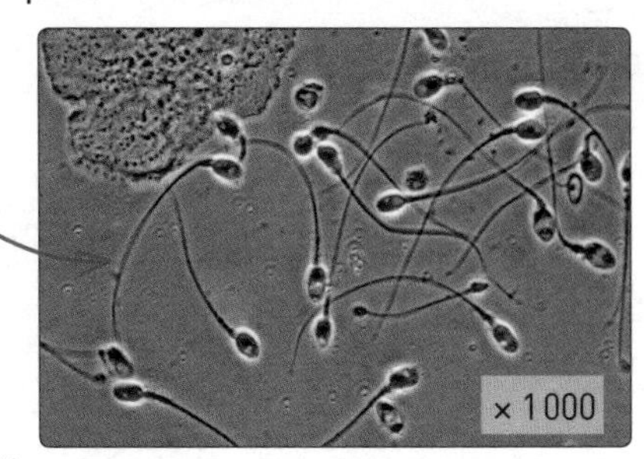

Je **dessine au crayon à papier** l'élément au centre d'une feuille blanche. Je respecte la **taille** et la **proportion** de l'objet.

Je **légende le dessin** ; je trace des traits de légende horizontaux et à la règle. Les légendes sont écrites au bout des traits et alignées.

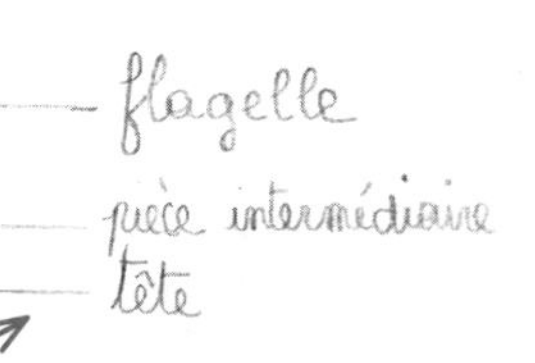

J'écris un **titre** et je le **souligne**. Je n'oublie pas d'indiquer le **mode d'observation** ainsi que le **grossissement**.

Dessin d'observation d'un spermatozoïde vu au microscope (x 1000)

Je m'entraine

★★ Réalise un dessin d'observation de trois cellules de racines d'oignon visibles sur cette photographie. Légende les éléments visibles et titre le dessin.

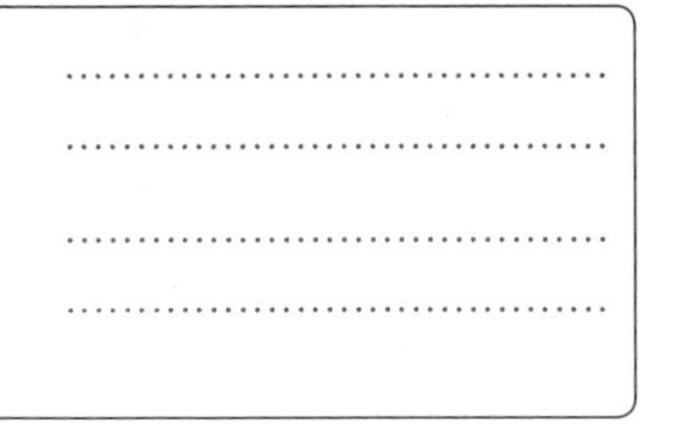

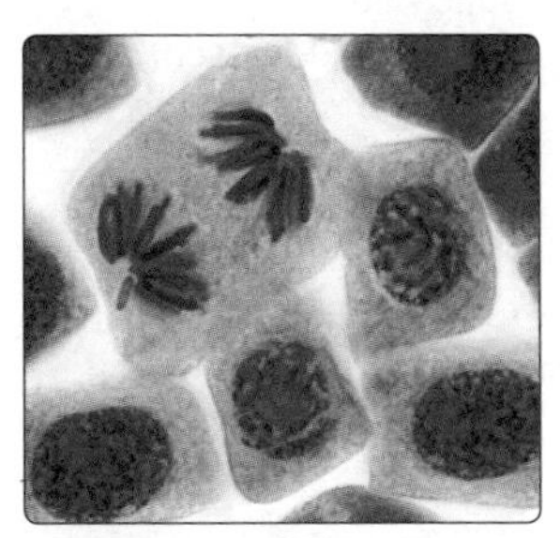

Doc. 1 Observation au microscope de cellules de racine d'oignon colorées à la fuchsine (× 600).

Réaliser un schéma fonctionnel

Fiche 22

Un **schéma fonctionnel** est une représentation graphique des **relations** entre les différents éléments d'un **mécanisme** ou d'un **phénomène**.

J'apprends la méthode

Je peux repérer des **mots-clés** dans la consigne.

Exemple

Réalise un schéma fonctionnel montrant la transmission du message nerveux entre l'œil du gardien de but et les muscles de ses bras.

J'utilise des **flèches** pour indiquer les **liens** entre les éléments.

J'organise mon schéma dans un **ordre logique**. *Ici, de la stimulation au mouvement.*

Je symbolise les mots-clés par des formes géométriques et/ou une couleur spécifique. *Ici, les organes sont en violet par exemple.*

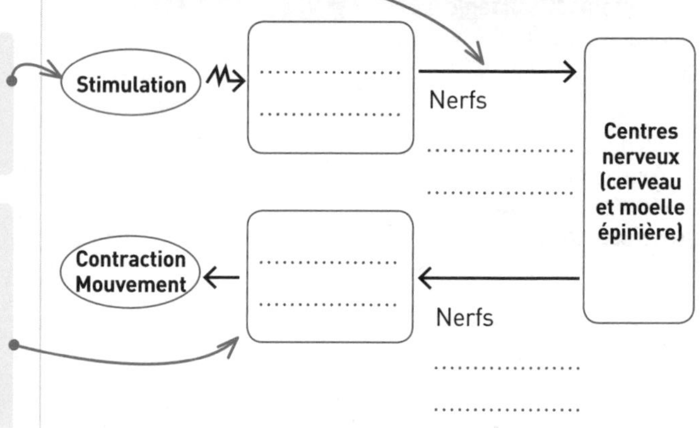

Je propose un **titre** et je le **souligne**.

Schéma fonctionnel de la transmission du message nerveux entre l'œil et les muscles du gardien

Je m'entraine

★ Replace les mots suivants sur le schéma.

Œil — Sensitifs — Moteurs — Muscle

Fiche 23

Réaliser une frise chronologique

Une **frise chronologique** est la représentation d'une **succession d'évènements dans le temps**. Ces évènements sont positionnés le long d'un axe gradué.

J'apprends la méthode

Exemple

Dessine une frise chronologique retraçant les grands évènements de l'évolution de la vie sur Terre.

1. Je trace un **axe horizontal** qui représente le temps.

2. Je repère la date la plus récente et la plus ancienne pour **choisir une échelle cohérente**. *Ici, 200 000 ans et 4600 millions d'années (Ma). La longueur de l'axe étant de 12 cm, je choisis alors 1 cm = 400 Ma.*

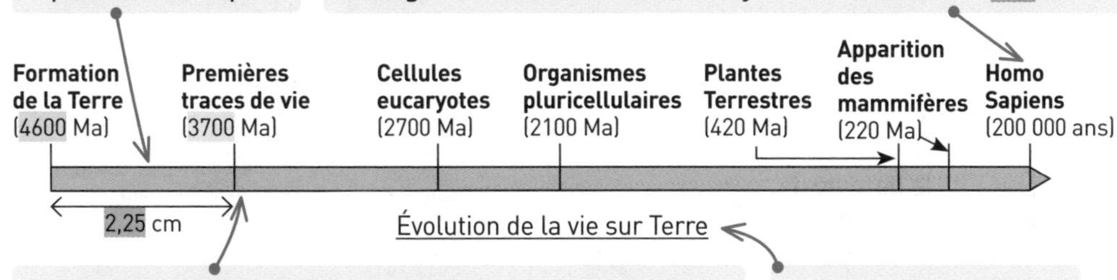

3. Je calcule la **position** de chaque évènement sur l'axe. *Ici, pour placer 3700 Ma, je calcule : (4600 - 3700) / 400 = 2,25. Le repère 3700 Ma se trouve à 2,25 cm de 4600 Ma. Et ainsi de suite pour les autres.*

4. Je propose un **titre** et je le **souligne**.

Je m'entraine

★ **Réalise une frise chronologique des grandes crises de la biodiversité depuis 600 millions d'années.**

1. Calcule une échelle afin de positionner des évènements de 600 Ma à aujourd'hui (0 Ma) sur un axe de 12 cm.

1 cm = ...

2. Place les grandes crises suivantes sur l'axe. Donne un titre à la frise.

- Crise Ordovicien supérieur : 450 Ma
- Crise Dévonien supérieur : 370 Ma
- Crise Permien Trias : 250 Ma
- Crise Trias Jurassique : 205 Ma
- Crise Crétacé Tertiaire : 65 Ma

....
....
....

600 Ma — 0 Ma

....

Fiche 24

Faire un compte-rendu d'expérience

Il est important de **garder une trace** (compte-rendu, photographie, film...) d'une expérience afin de se souvenir des informations récoltées.

J'apprends la méthode

Exemple

Je commence par préciser l'**hypothèse testée**.

Je souhaite tester l'hypothèse suivante :
« La pepsine présente dans le milieu acide qu'est l'estomac, est une enzyme capable de digérer le blanc d'œuf ».

Je présente le **déroulé de l'expérience** réalisée en choisissant la forme la plus adaptée.
Ici, je dessine un schéma légendé du début et de la fin de l'expérience.

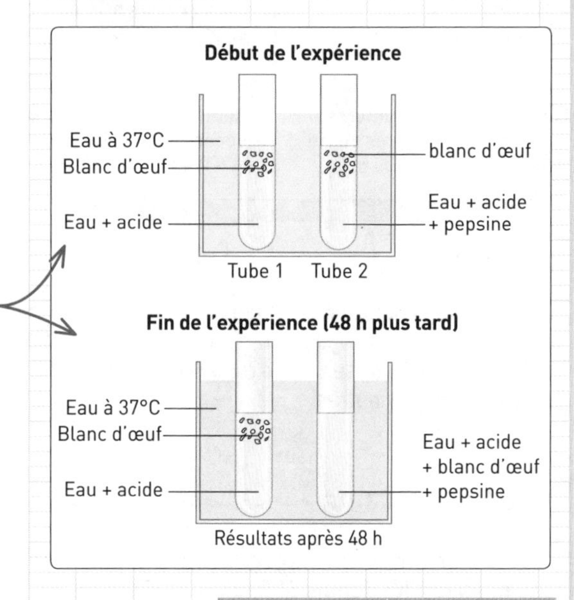

Je présente ensuite les **résultats** sous la forme la plus adaptée (texte, schéma, graphique...).
Ici, je construis un tableau pour comparer les résultats de l'expérience témoin et de l'expérience test.

	Tube 1 = témoin	Tube 2 = test
Présence de blanc d'œuf après 48 h	+	–

- J'**interprète** les résultats.
- Je **conclus**.

En présence de pepsine, le blanc d'œuf a été digéré après 48h.

La pepsine est donc une enzyme qui permet la digestion du blanc d'œuf en milieu acide. Mon hypothèse de départ est validée.

★ On souhaite montrer l'action de la mastication sur la digestion des aliments. On réalise l'expérience suivante :

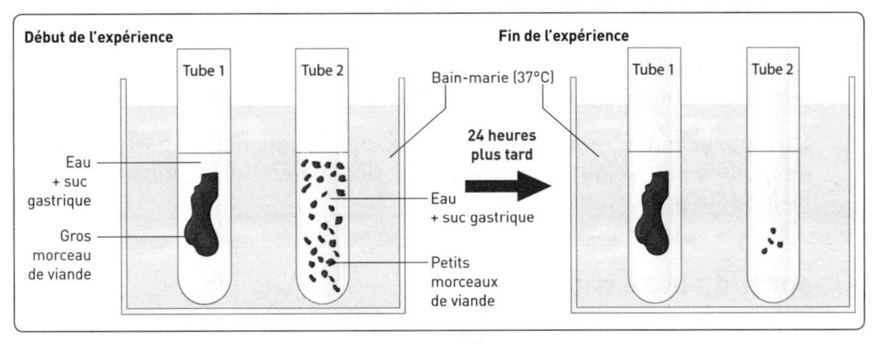

1. Complète le tableau ci-dessous avec les résultats de l'expérience.

	Contenu du tube 1	Contenu du tube 2
Début de l'expérience	....	....
....	....	....

2. Conclus sur le rôle de la mastication dans la digestion.

....

....

....

★★ On cherche à localiser l'information génétique dans les cellules.

À partir de l'observation microscopique ci-contre, rédige la conclusion du compte-rendu de l'expérience.

....

....

....

....

....

× 400

Doc. 1 Cellules de l'épithélium buccal humain coloré au vert de méthyle acétique et observé au microscope.

Rappel !
Le vert de méthyle acétique colore en vert le matériel génétique.

Fiche 25

Modéliser en sciences

Un modèle permet d'étudier un phénomène en **représentant un système réel** par un système plus simple et facile à étudier.
Un modèle ne représente pas de façon parfaite le système réel.
Il permet néanmoins **d'émettre ou de tester des hypothèses** avant de les vérifier expérimentalement sur le système réel si cela est possible.

Un modèle peut être mathématique (ex. des équations), on parle alors de **modèle numérique** ou physique (ex. une maquette) et on parle alors de **modèle analogique**.

J'apprends la méthode

Je détermine le **système à modéliser** et le **phénomène** que je souhaite étudier.

Exemple

Modélise un tremblement de terre afin d'étudier sa propagation.

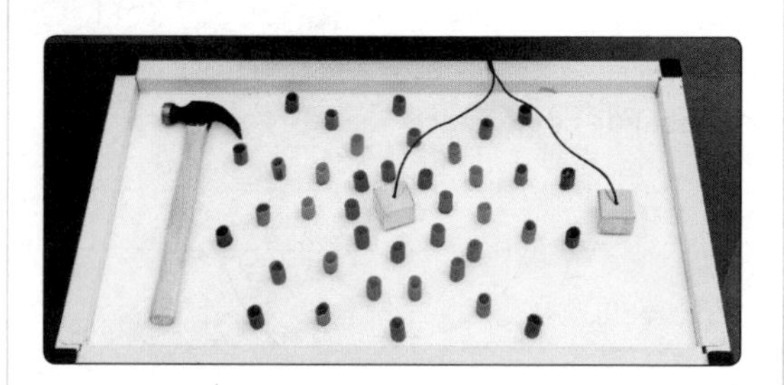

Je **décris** précisément mon modèle.
Ici, c'est un modèle analogique.

- **Le sol est modélisé par une table rigide, le déclenchement du tremblement de terre par un coup de marteau** sous le centre de la table (considéré comme l'épicentre).
- Je regarde l'effet des vibrations sur des pâtes de différentes couleurs placées en cercles concentriques sur la table. **Les pâtes modélisent des bâtiments.**

J'**émets une hypothèse** et je la **teste** sur mon modèle.

Hypothèse : les vibrations du sol s'atténuent en fonction de la distance par rapport à l'épicentre d'un séisme.

Je connais les **limites** de mon modèle.

Dans mon modèle, les échelles de temps et de distance sont très différentes de la réalité : les objets sont plus petits et légers, les distances et les temps de propagation très courts.

Je m'entraine

★ Compare la photographie ci-contre avec celle de l'exemple (prise avant le coup de marteau sous le centre de la table).
Indique si l'hypothèse donnée dans l'exemple est validée ou non par le modèle.

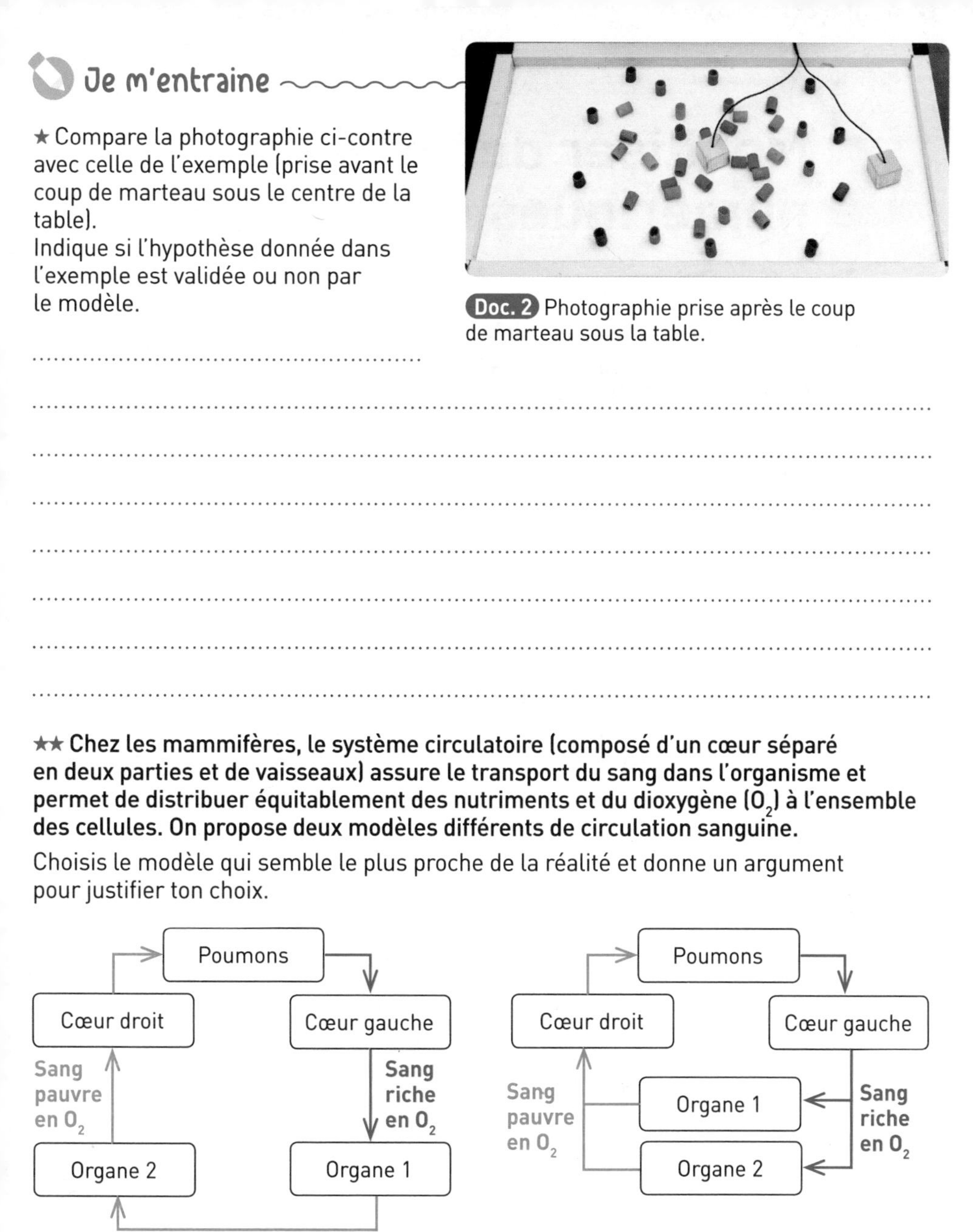

Doc. 2 Photographie prise après le coup de marteau sous la table.

....

....

....

....

....

....

....

....

★★ **Chez les mammifères, le système circulatoire (composé d'un cœur séparé en deux parties et de vaisseaux) assure le transport du sang dans l'organisme et permet de distribuer équitablement des nutriments et du dioxygène (O_2) à l'ensemble des cellules. On propose deux modèles différents de circulation sanguine.**

Choisis le modèle qui semble le plus proche de la réalité et donne un argument pour justifier ton choix.

Modèle A

Modèle B

....

....

....

....

Partie 4

Mobiliser des outils numériques en sciences

Domaine du socle	Compétences	Fiches méthode	Suivi des acquis
Domaine 2 Les méthodes et outils pour apprendre	D2 Mobiliser des outils numériques pour apprendre, échanger, communiquer	Fiche 26 Utiliser un traitement de texte	
		Fiche 27 Utiliser un tableur pour représenter des données	
		Fiche 28 Utiliser un logiciel pour construire une carte mentale	
		Fiche 29 Utiliser le logiciel Mesurim	
	D2 Utiliser des logiciels d'acquisition, de simulation et des bases de données	Fiche 30 Utiliser le logiciel Tectoglob	
		Fiche 31 Utiliser le logiciel Phylogène	

TUTO lienmini.fr

Dans cette partie, apprends à utiliser des outils numériques à l'aide de 6 tutoriels vidéo. Saisis l'adresse du lien mini dans ton navigateur quand tu vois ce picto.

J'évalue mes acquis

Fiche 26

Mettre en forme un texte numérique

Les **logiciels de traitement de texte** (Microsoft Word ou Libre Office Writer) permettent de **saisir** des textes et de les **mettre en forme**.

J'apprends la méthode

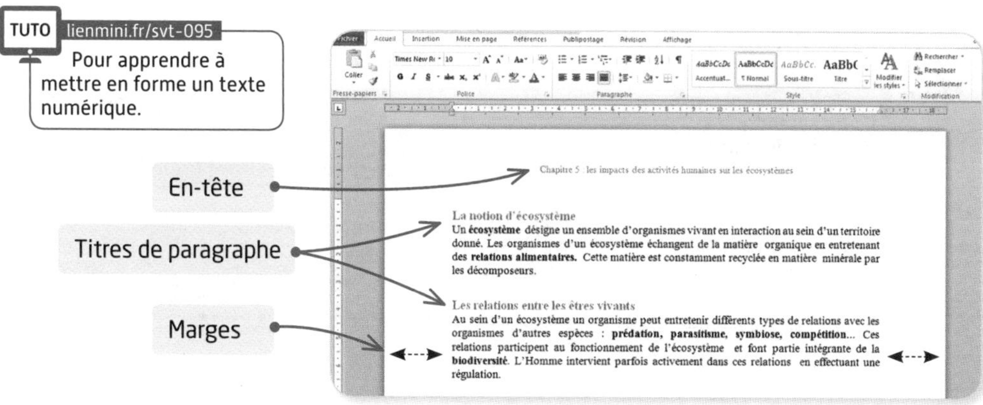

Je m'entraine

★ Relie les actions suivantes aux fonctionnalités présentes dans la barre d'outils du logiciel de traitement de texte.

Modifier les marges | Mettre en gras le texte | Modifier la police du texte

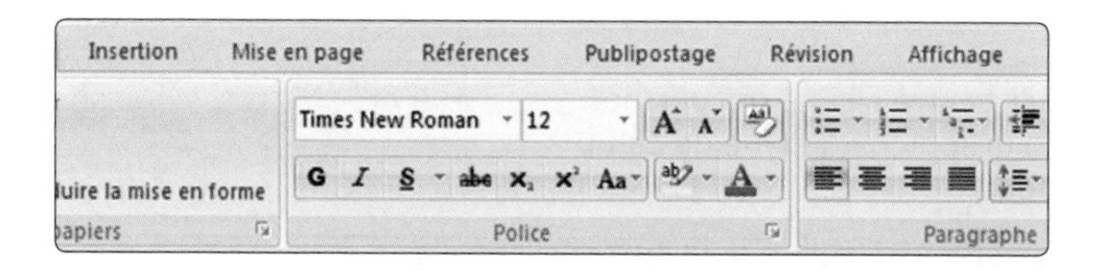

Créer un en-tête | Modifier la couleur du texte | Justifier le texte

★★ Explique comment créer ou modifier un style de titre de paragraphe.

....

....

....

....

À toi de jouer ! Recopie la page bilan du dernier chapitre étudié en classe et mets-le en forme.

Fiche 27

Utiliser un tableur pour représenter des données

Les **tableurs Microsoft Excel ou Libre Office Calc** sont des logiciels qui permettent de **construire des graphiques** à partir de données numériques.

J'apprends la méthode

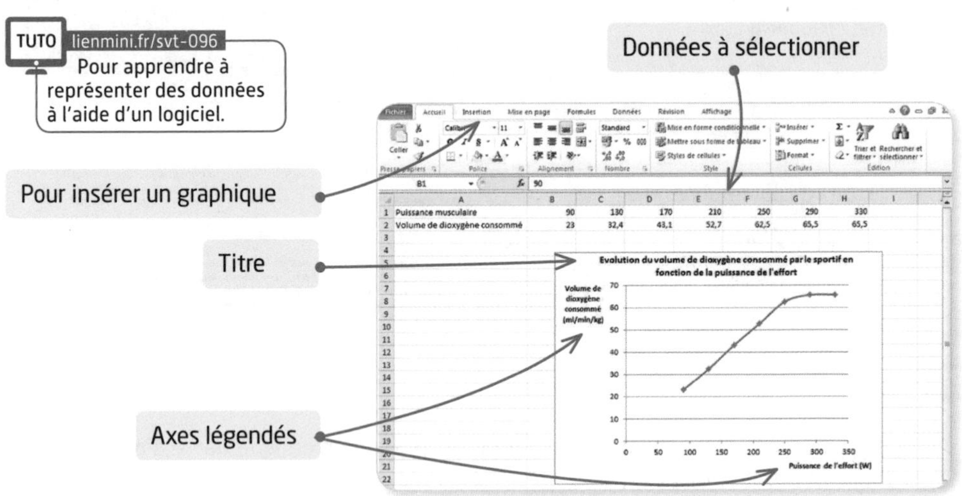

Je m'entraine

★ Entoure ci-contre l'icône qui permet de créer un graphique du type de celui de la méthode.

Colonne | Ligne | Secteurs | Barres | Aires | Nuage de points | Autres graphiques
Graphiques

★★ Liste les étapes à suivre pour titrer le graphique et les axes dans le tableur Microsoft Excel.

....

....

....

....

....

....

À toi de jouer ! Utilise les données de l'exemple de la fiche 7 p. 12 pour réaliser le graphique à l'aide d'un tableur.

Utiliser un logiciel pour construire une carte mentale

▸ fiche 19 p. 31

Freemind est un logiciel libre permettant de créer ses propres cartes mentales. **Les cartes mentales** aident à comprendre ou mémoriser un cours.

J'apprends la méthode

TUTO lienmini.fr/svt-099
Pour apprendre à construire une carte mentale à l'aide d'un logiciel.

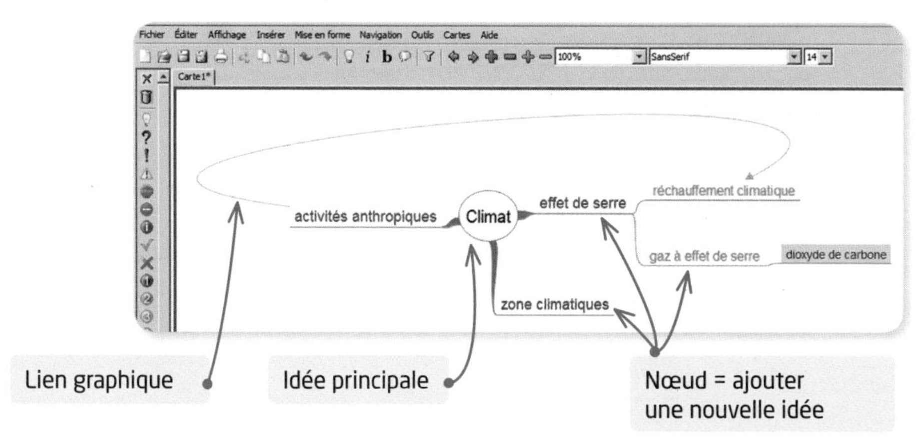

Je m'entraine

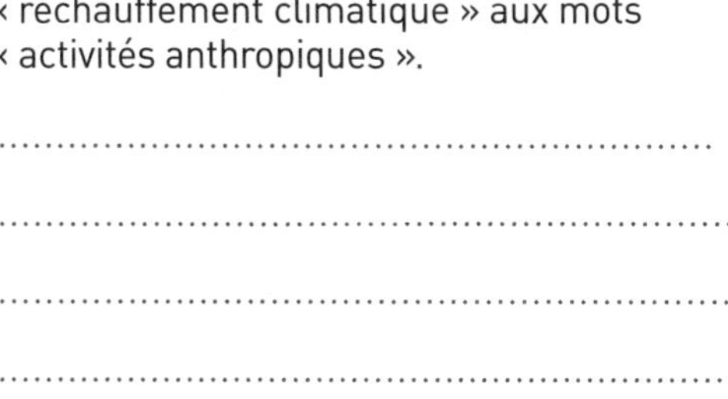

★ Entoure sur l'image ci-contre la fonctionnalité à choisir pour ajouter un mot au départ de « climat ».

★★ Explique comment relier les mots « réchauffement climatique » aux mots « activités anthropiques ».

....

....

....

....

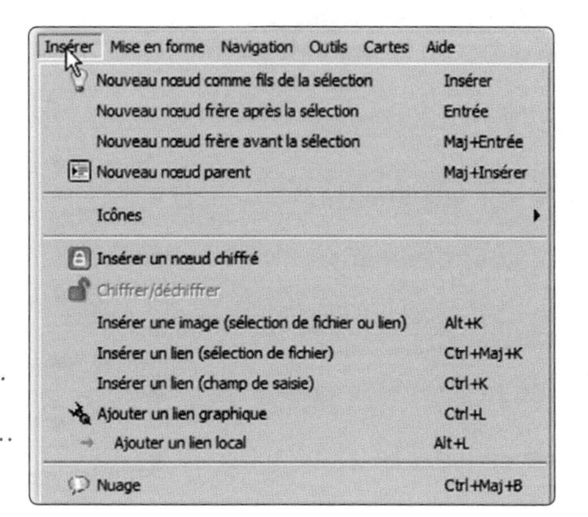

Puis entoure sur l'image ci-contre la fonctionnalité à choisir.

À toi de jouer ! Construis une carte mentale à l'aide du logiciel Freemind (ou de celui de ton ENT) sur le dernier chapitre que tu as travaillé en classe.

Utiliser le logiciel Mesurim

Mesurim est un logiciel libre qui permet de réaliser différents types de **manipulations sur des images**.

J'apprends la méthode

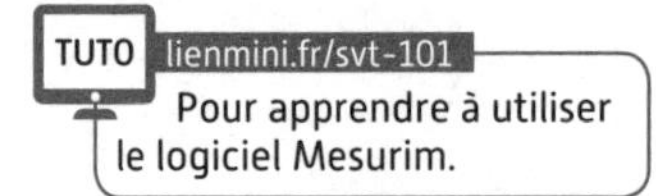

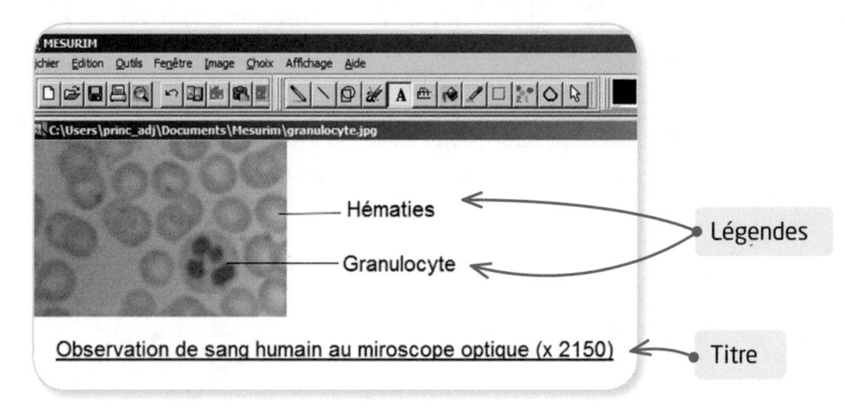

Je m'entraine

★ Associe les étapes d'annotation d'une image avec les fonctionnalités de la barre d'outils du logiciel Mesurim.

Étapes

- Ouvrir une image
- Ajouter des marges
- Ajouter des traits de légende
- Ajouter des légendes
- Positionner le texte
- Titrer l'image

Fonctionnalités

- Cliquer sur l'outil « Texte » 
- Cliquer sur l'outil « Ligne »  
- Cliquer sur « Image » 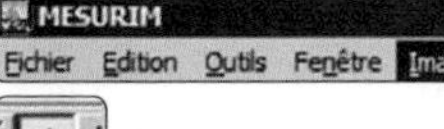

- Cliquer sur l'outil « Texte » 
- Cliquer sur le texte et déplacer la souris 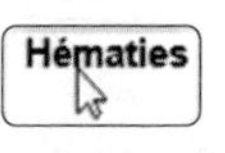

- Cliquer sur « Fichier » puis « Ouvrir » 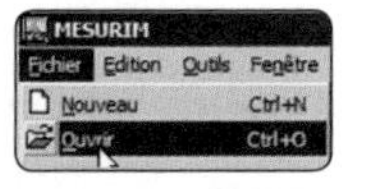

À toi de jouer ! Légende une photographie de cellule animale ou végétale prise en classe au microscope, ou fournie par ton professeur.

Fiche 30

Utiliser le logiciel Tectoglob

Tectoglob est un logiciel libre pour étudier la tectonique des plaques, la distribution des **volcans** et des **séismes** ou encore l'âge des océans.

J'apprends la méthode

TUTO lienmini.fr/svt-100 Pour apprendre à utiliser le logiciel Tectoglob.

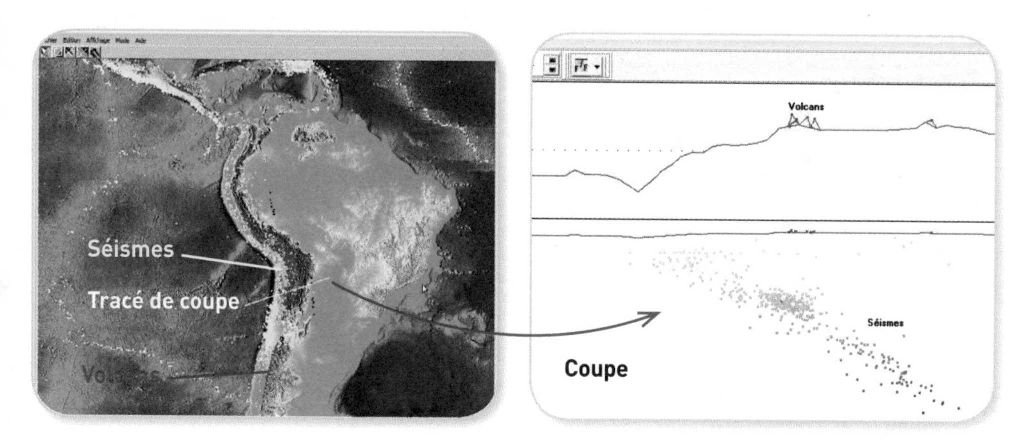

Je m'entraine

★ 1. Remets dans l'ordre les étapes nécessaires à la réalisation d'une coupe.

a. Afficher les séismes

b. Choisir le mode « Tracé d'une coupe »

c. Agrandir la zone choisie sur la carte

d. Afficher les volcans

e. Annoter la coupe avec les outils numériques de dessin

f. Délimiter la coupe sur la carte

Ordre : ....

2. Entoure en vert l'onglet te permettant d'afficher les séismes et les volcans, puis entoure en rouge l'onglet te permettant de tracer une coupe.

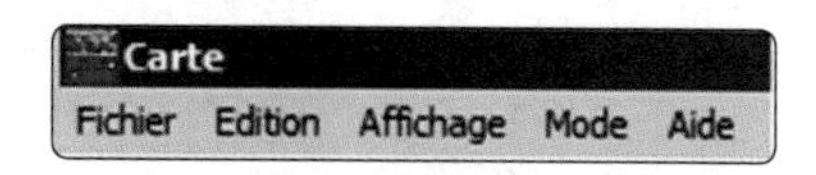

À toi de jouer ! À l'aide du logiciel Tectoglob, réalise une coupe au niveau de la fosse des Mariannes.

Fiche 31

Utiliser le logiciel Phylogène

Phylogène est un logiciel pour étudier de manière interactive la classification et les **relations de parenté**.

J'apprends la méthode

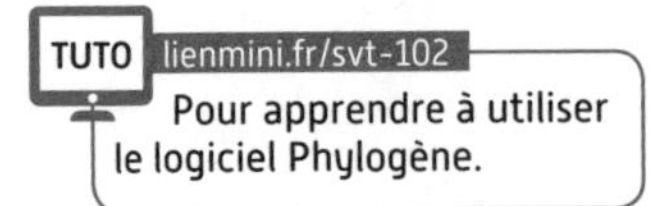

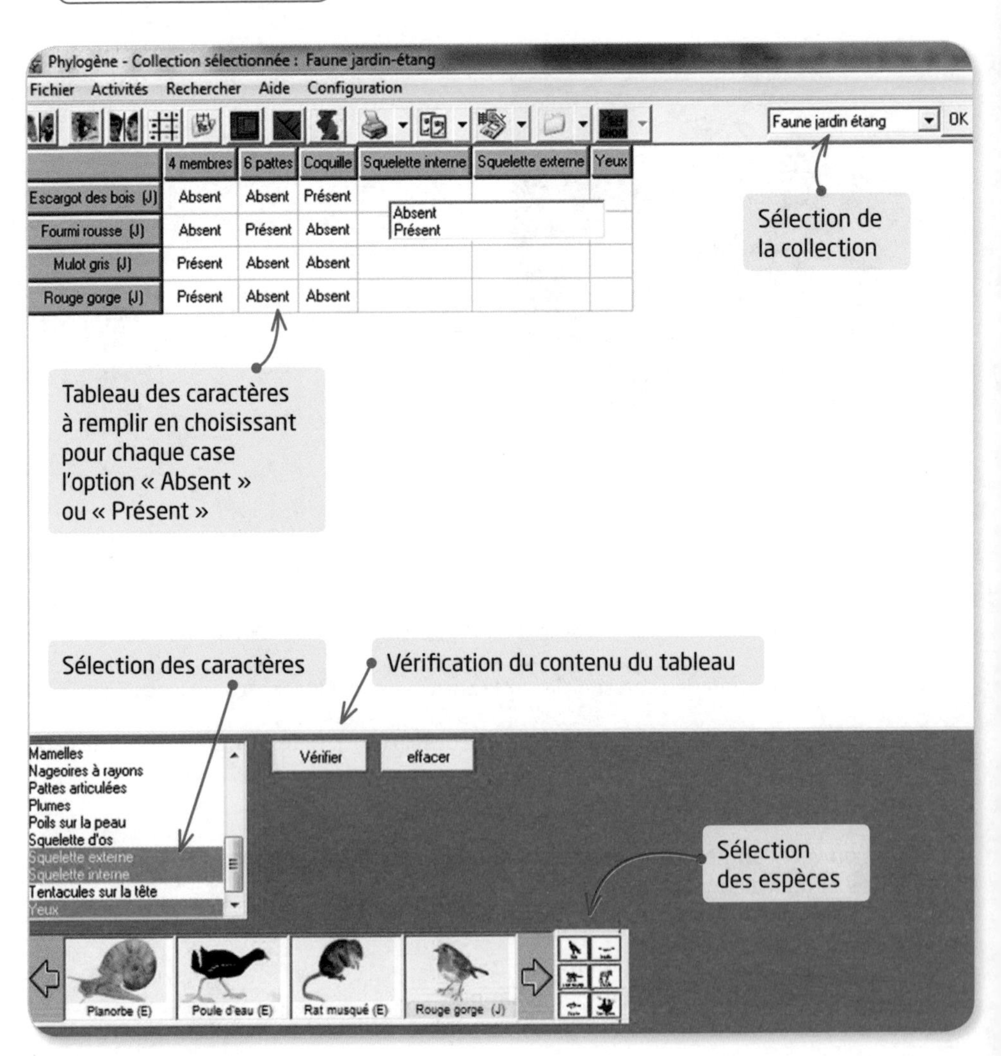

Je m'entraine

★ 1. Remets dans l'ordre les étapes nécessaires à la construction d'un tableau de caractères.

a. Sélectionner les espèces à classer

d. Vérifier les données du tableau

b. Compléter le tableau des caractères

e. Sélectionner les caractères à comparer

c. Cliquer sur l'onglet « Activité » puis choisir « Construire »

f. Sélectionner la collection d'espèces

Ordre : ....

★ 2. Précise où s'affichent les informations sur les êtres vivants qui t'aident à compléter le tableau de caractères.

....

....

....

....

★★ Entoure en vert l'option permettant d'afficher un arbre de parenté, et en bleu celle permettant d'afficher des boites sur l'arbre et de les nommer.

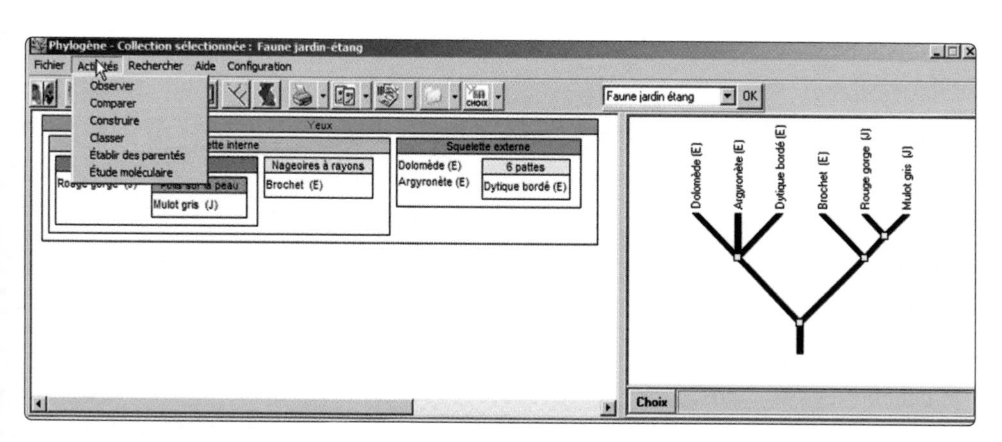

À toi de jouer ! À l'aide du logiciel Phylogène, classe les espèces suivantes, puis construis un arbre de parenté.

Espèces (de la collection « faune, jardin, étang)	Caractères à sélectionner
Abeille, Escargot des haies, Fourmi, Gardon, Hérisson, Grenouille, Mulot, Rouge Gorge	4 Membres, 6 Pattes, Coquille, Nageoires à Rayons, Plumes, Poils sur la peau, Squelette externe, Squelette interne, Yeux

Partie 5

S'approprier un vocabulaire scientifique

	Niveau 1	Niveau 2
Atmosphère	○	○
Biodiversité	○	○
Caractère	○	○
Cardio-vasculaire (système)	○	○
Cellule	○	○
Chromosome	○	○
Climat	○	○
Contamination	○	○
Digestion	○	○
Écosystème	○	○
Effet de serre	○	○
Énergie	○	○
Excrétion	○	○
Fécondation	○	○
Fossile	○	○
Gène	○	○
Hormone	○	○
Infection	○	○
Méiose	○	○
Micro-organisme	○	○
Mitose	○	○
Mutation	○	○
Nerf	○	○
Neurone	○	○

	Niveau 1	Niveau 2
Nutrition	○	○
Ovaire	○	○
Oviparité	○	○
Parenté	○	○
Phénotype	○	○
Photosynthèse	○	○
Planète	○	○
Plaque	○	○
Puberté	○	○
Réactions immunitaires	○	○
Reproduction	○	○
Respiration	○	○
Ressource naturelle	○	○
Risque	○	○
Séisme (ou tremblement de terre)	○	○
Sélection naturelle	○	○
Symbiose	○	○
Testicule	○	○
Vaccination	○	○
Viviparité	○	○
Volcanisme	○	○

Niveau 1 : J'ai complété la définition
Niveau 2 : J'ai approfondi la notion

Avant de commencer

En comprenant l'origine des mots, c'est-à-dire leur étymologie, on les retient mieux !

★ Associe les cartes pour reconstituer des mots scientifiques connus :

CHROMO-	CARYO-	PHÉNO-	-TYPE	GÉNO-	-SOME
=	=	=	=	=	=
couleur	noyau	chose visible	image	naissance, origine	corps

caryo............................ + ... = ...

.... + ... = phénotype.............

.... + type.............................. = ...

chromo.......................... + ... = ...

★★ Retrouve le mot correspondant à chaque définition :

....: ensemble des chromosomes du noyau.

....: corps facile à colorer.

....: ensemble de l'information héréditaire d'un individu.

....: ensemble des caractères visibles d'un individu.

Comment construire ton lexique ?

➡ **Complète les** Définitions au fur et à mesure du cycle et fais-les valider par ton professeur.

➡ Écris les mots sur des papiers que tu plies en deux. Pioches-en au hasard et **récite la définition**.

➡ **Approfondis** chaque notion en complétant l'exercice Pour aller plus loin.

➡ Révise **plusieurs fois** dans l'année les mots déjà travaillés et mets à jour la liste des mots appris (► p. 48).

Lexique

Atmosphère

Définition Couche ....

qui enveloppe certains objets célestes.

Pour aller plus loin **Complète la légende de la figure avec les principaux gaz composant la troposphère (la première couche de l'atmosphère).**

78 %

21 %

1 %

Composition de la troposphère

■ .... ■ .... ■ Autres gaz

Biodiversité

Définition .... de la vie sur Terre à toutes

les .... (écosystèmes, espèces et individus, génomes).

Pour aller plus loin **Cite deux causes possibles pour expliquer la diminution de la biodiversité lors des grandes crises biologiques au cours des temps géologiques.**

....

....

....

....

Caractère

Définition ....

....

Pour aller plus loin **Précise la différence entre un caractère spécifique et un caractère individuel.**

....

....

....

Cardio-vasculaire (système)

Définition Système qui comprend le .... et les ....

et qui permet de faire circuler le sang vers tous les ....

Pour aller plus loin **Quels types de comportements permettent de diminuer le risque de développer des maladies cardiovasculaires ?**

Artère
Cellules musculaires
Accumulation de dépôts de graisse
Lumière rétrécie

....

....

....

....

....

....

Cellule

Définition Correspond à l'unité fondamentale du vivant, elle est délimitée par une .... qui enveloppe le .... et le matériel génétique qui peut être contenu dans un ....

Pour aller plus loin **Légende la cellule ci-contre.**

....

....

....

Chromosome

Définition ....

....

....

....

Pour aller plus loin **Coche la bonne réponse.**

☐ Les chromosomes sont visibles lorsque la cellule se divise en deux cellules.

☐ Les chromosomes sont visibles lorsque la cellule ne se divise pas.

Climat

Définition Conditions météorologiques ....
(températures, précipitations, ensoleillement, humidité de l'air...) qui règnent sur une région donnée.

Pour aller plus loin **Nomme les trois grandes zones climatiques.**

....

....

....

....

....

Contamination

Définition Entrée de .... dans notre corps lorsqu'une barrière naturelle (exemple : la peau et les ....) a été franchie.

Pour aller plus loin **Comment peut-on limiter le risque de contamination par le VIH ?**

....

....

....

Digestion

Définition ....

....

....

Pour aller plus loin **Replace les mots suivants sur le schéma : aliments, digestion, absorption intestinale.**

....

....

[............................] → [Nutriments] → [Passage dans le sang]

Écosystème

Définition ....

....

....

Pour aller plus loin **Classe les mots suivants dans le tableau : pollution, création de parcs naturels, réchauffement climatique, surpêche, gestes éco-responsables.**

Perturbation des écosystèmes	Préservation des écosystèmes
....	....
....	....
....	....

Effet de serre

Définition .... de l'atmosphère dû à la présence de certains ....

(exemples : vapeur d'eau, ..., ...).

Pour aller plus loin **Indique une des causes actuelles de l'augmentation de l'effet de serre.**

....

....

....

....

Énergie

Définition Grandeur ....

mesurant la capacité à changer d'état chimique ou physique, à créer un mouvement, de la lumière ou de la ....

Pour aller plus loin **Complète le schéma avec les mots suivants : dioxyde de carbone, dioxygène, glucose.**

Nutriments
Exemple :
....

....

Transformations chimiques

....

....
+ eau

Énergie utilisée par les organes

Énergie perdue sous forme de chaleur

Excrétion

Définition Action par laquelle les substances produites par l'activité

des .... sont éliminées hors de l'.......................................

Pour aller plus loin **Nomme les organes excréteurs chez les insectes et chez les mammifères.**

....

....

....

Fécondation

Définition ....

....

....

....

....

Pour aller plus loin **Précise si la fécondation est interne ou externe chez l'escargot.**

....

....

Fossile

Définition Reste ou trace d'un organisme ayant vécu dans le ....

et conservé dans une ....

Pour aller plus loin **Explique pourquoi le gaz naturel, le charbon ou le pétrole sont qualifiés de ressources énergétiques fossiles non renouvelables.**

....

....

....

....

....

Gène

Définition Portion de .... responsable de l'expression d'un caractère précis. Un gène peut exister sous différentes formes qu'on appelle des ....

Pour aller plus loin 1. **Complète le schéma à l'aide des mots suivants : gène groupe sanguin, chromosome 9.**

2. **Indique ce que représentent les lettres A et B.**

A | B ....
....
....

....

....

Hormone

Définition Substance chimique produite par un ...., libérée dans le .... et qui agit sur le fonctionnement d'un ....

Pour aller plus loin **Replace sur le schéma les mots suivants : vaisseau sanguin, organe-cible, hormone, organe.**

.... (ex : ovaire)

.... (ex : œstrogènes)

....

....

.... (ex : sein)

Conséquence :
multiplication des cellules
→ croissance des seins

Infection

Définition ....

....

....

Pour aller plus loin **Coche la bonne réponse.**

☐ Les antibiotiques limitent l'infection bactérienne.

☐ Les antibiotiques limitent l'infection virale.

Méiose

Définition Mécanisme permettant de réduire de moitié le nombre de chromosomes dans les .... et assurant ainsi la .... génétique du vivant.

Pour aller plus loin **Coche la bonne réponse.**

- ☐ La méiose permet de former des cellules reproductrices identiques génétiquement.
- ☐ La méiose permet de former des cellules reproductrices uniques génétiquement.

Micro-organisme

Définition Organisme .... Certains sont hébergés dans notre .... et contribuent au bon fonctionnement de certains organes. D'autres sont .... et provoquent des maladies infectieuses.

Pour aller plus loin **Qu'appelle-t-on le microbiote ?**

....

....

Mitose

Définition Processus de .... cellulaire qui permet d'obtenir à partir d'une cellule initiale deux cellules filles identiques, contenant des copies conformes des chromosomes de la cellule initiale et assurant ainsi la .... génétique du vivant.

Pour aller plus loin **Indique le titre de chaque schéma : Mitose ou Méiose.**

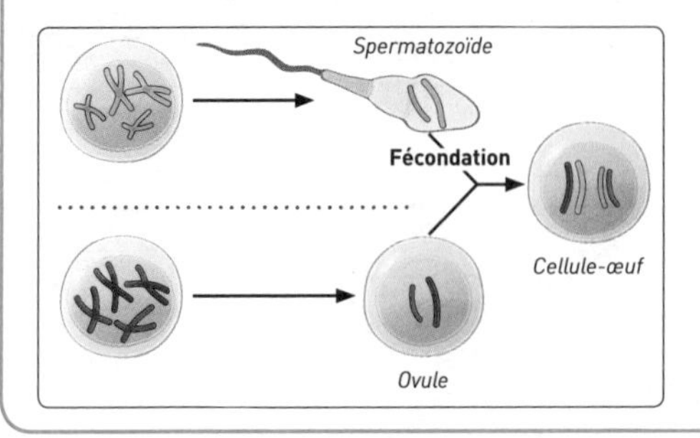

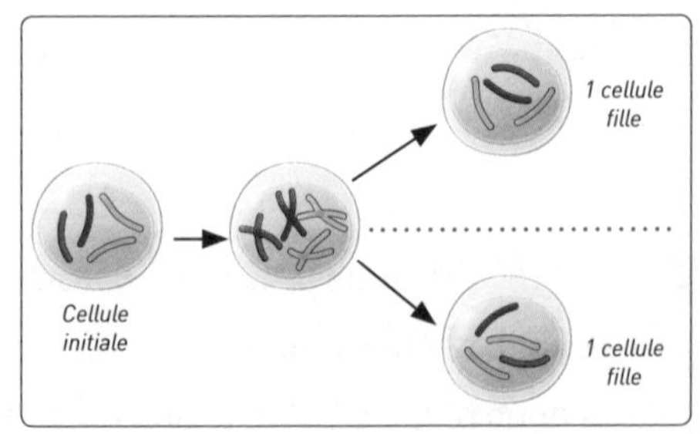

Mutation

Définition ....

....

Pour aller plus loin **Explique quelles seraient les conséquences d'une mutation au niveau d'un gène.**

....

....

....

Nerf

Définition Structure formée par les .... des cellules nerveuses (appelées aussi ....) réunis en faisceaux de fibres et qui relie les centres ....aux différents organes.

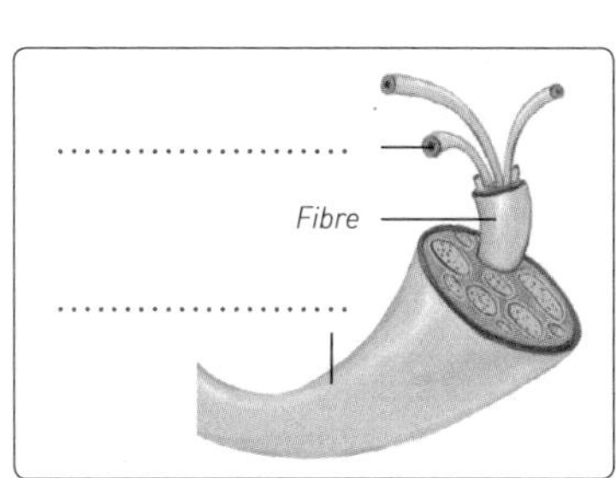

Pour aller plus loin **Place sur le schéma les mots suivants : nerf, axone.**

Neurone

Définition Cellule .... qui élabore et transmet les messages nerveux. L'ensemble des neurones constitue un .... complexe de communication.

Pour aller plus loin **Indique par des flèches le sens de propagation du message nerveux entre les deux neurones et nomme la zone entourée.**

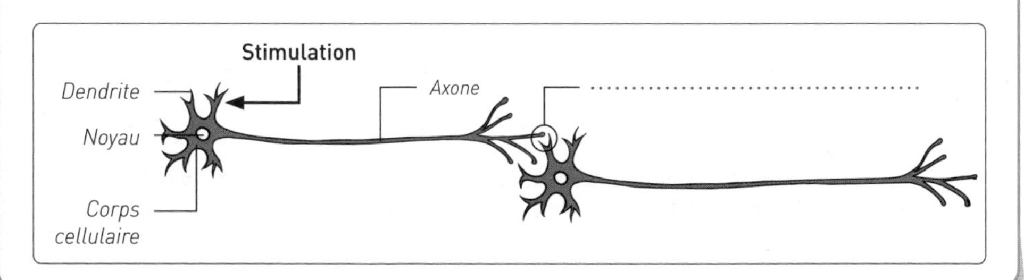

Nutrition

Définition Fonction biologique d'un être vivant qui consiste à prélever de la .... dans son ...., pour produire sa propre matière et l'.. nécessaire au fonctionnement et au développement de ses cellules.

Pour aller plus loin **Indique les structures qui permettent à une plante de prélever l'eau et les sels minéraux dans le sol.**

....

....

....

Ovaire

Définition ....

....

....

Pour aller plus loin

Complète le schéma de l'appareil sexuel féminin avec les mots suivants : vagin, ovaire, clitoris, utérus.

Trompe

....

....

Col de l'utérus

....

....

Vulve

Oviparité

Définition Mode de développement dans lequel la femelle pond des .... qui écloront à l'................................ de son organisme.

Pour aller plus loin **Indique le mode de développement d'un organisme dans lequel les petits naissent sans enveloppe ni coquille.**

....

Parenté

Définition .... entre des espèces qui partagent des ....
.... et ont donc un ancêtre commun.

Pour aller plus loin **Sous quelles formes peut-on représenter les liens de parenté ?**

....

....

....

Phénotype

Définition ....

....

....

Pour aller plus loin **Complète le schéma suivant en indiquant les deux facteurs pouvant influencer le phénotype d'un individu.**

....	→ PHÉNOTYPE ←	....

Photosynthèse

Définition Synthèse de matière

....

par les végétaux chlorophylliens à partir de matière minérale

(...

et eau) en présence de ....

Pour aller plus loin **Place sur le schéma les deux gaz impliqués dans la photosynthèse, le dioxyde de carbone (CO_2) et le dioxygène (O_2).**

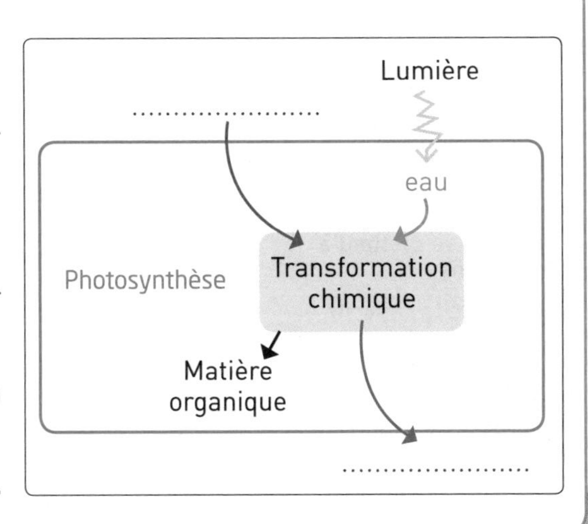

Planète

Définition ....

....

Pour aller plus loin **Cite les 8 planètes du système solaire, de la plus proche à la plus éloignée du Soleil.**

....

....

Plaque

Définition Portion de la surface .... composée de lithosphère rigide reposant sur une couche moins rigide, l'...

Les frontières entre différentes plaques sont le lieu de .... et d'........................ ....

Pour aller plus loin **Indique les trois différents types de mouvements des plaques.**

....

....

Puberté

Définition Période de la vie où l'individu acquiert la capacité de ....

Les organes .... commencent à fonctionner et les caractères sexuels .... (poils, seins...) apparaissent.

Pour aller plus loin **Complète le tableau présentant les transformations qui apparaissent à la puberté.**

	Fille	Garçon
Organes se mettant à fonctionner	Ovaires et utérus	....
Signes de la capacité à se reproduire	Premières	Premières ....
Hormones produites par les glandes reproductrices	....	Testostérone
Exemples de caractères sexuels secondaires	Pilosité, développement des seins	Pilosité, mue de la voix

Réactions immunitaires

Définition Réactions de notre organisme pour lutter contre une ....

Une première réponse est rapide : c'est la .... Si l'infection persiste, d'autres réactions plus lentes et spécifiques s'installent : la production d'... par les lymphocytes B et la production de .... tueurs.

Partie spécifique d'un antigène

Antigènes

Schéma d'un anticorps spécifique à l'antigène rouge

Pour aller plus loin **À l'aide du schéma, représente l'anticorps spécifique de l'antigène bleu.**

Reproduction

Définition ....

....

Pour aller plus loin **Complète les cases du tableau par oui ou par non.**

Modes de reproduction	Intervention de gamètes	Produit des individus identiques
Sexuée	....	....
Asexuée	....	....

Respiration

Définition ....

....

....

Pour aller plus loin **Cite l'appareil respiratoire du lapin, de la mouche et de la truite.**

....

....

Ressource naturelle

Définition Élément prélevé par l'......................... dans l'.............................. pour subvenir à ses besoins et réaliser ses activités.

Pour aller plus loin **Complète le schéma avec les grands types de ressources naturelles : minérales, énergétiques et biologiques.**

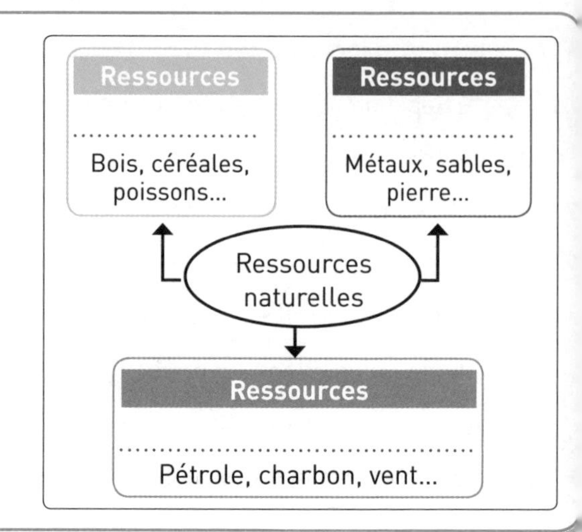

Risque

Définition Corrélation entre un .... d'origine naturelle ou humaine et les .... sur un territoire.

Pour aller plus loin **Complète le schéma avec les mots suivants : aléa, enjeux, risques.**

.... Ex : Séisme Personne contaminée	+	.... Ex : Présence habitations ou centrale nucléaire	=	.... Destructions Victimes

Séisme (ou tremblement de terre)

Définition Résultat d'un mouvement entre deux blocs rocheux séparés par une faille où s'accumule de l'... qui est libérée brutalement et entraine en surface des .... du ....

Pour aller plus loin **Replace sur le schéma les légendes suivantes : épicentre, faille, foyer, propagation des ondes sismiques.**

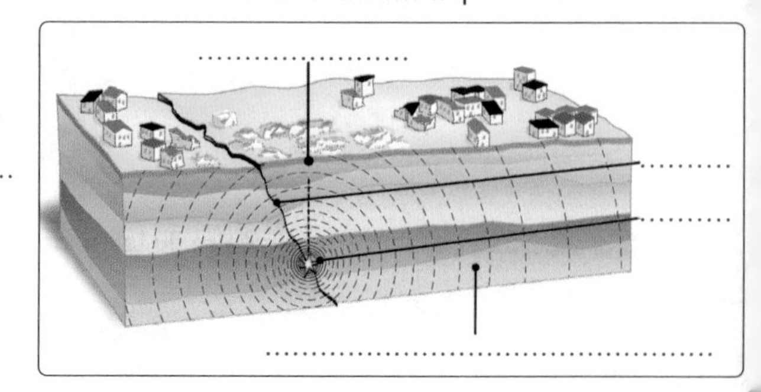

Sélection naturelle

Définition Processus qui favorise la .... et la reproduction des individus ayant des caractères .... dans un milieu donné, à un moment donné.

Pour aller plus loin **Nomme le scientifique qui a proposé le mécanisme de la sélection naturelle pour expliquer l'évolution des espèces.**

....

Symbiose

Définition Association .... et obligatoire entre deux organismes d'espèces différentes qui apporte à chacune d'elle un ....

Pour aller plus loin **Présente un exemple de symbiose entre deux organismes qui facilite leur nutrition.**

....

....

....

Testicule

Définition ....

....

....

Pour aller plus loin

Complète le schéma de l'appareil sexuel masculin avec les mots suivants : testicule, urètre, prostate, vessie.

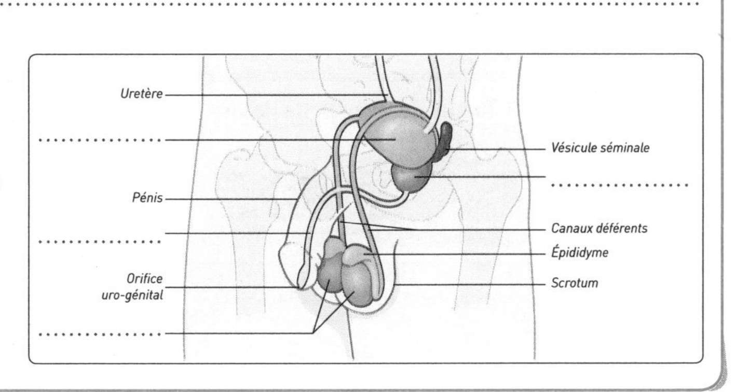

Vaccination

Définition Pratique qui consiste à former une .... immunitaire contre des micro-organismes très dangereux .... un premier contact.

Pour aller plus loin **Cite d'autres moyens préventifs contre la propagation de maladies aux populations.**

....

....

....

Viviparité

Définition Mode de .... à l'.. de l'organisme maternel et dans lequel les petits naissent sans enveloppe ni coquille, généralement à un état assez développé.

Pour aller plus loin **Complète le schéma avec les mots suivants : intérieur, extérieur.**

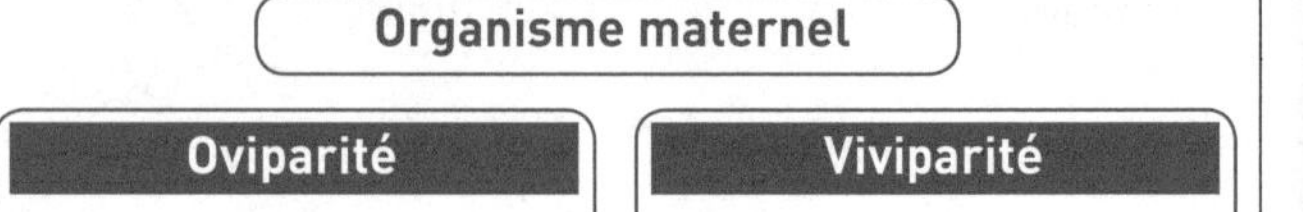

Volcanisme

Définition ....

....

Pour aller plus loin **Précise sur chaque schéma le type d'éruption volcanique.**

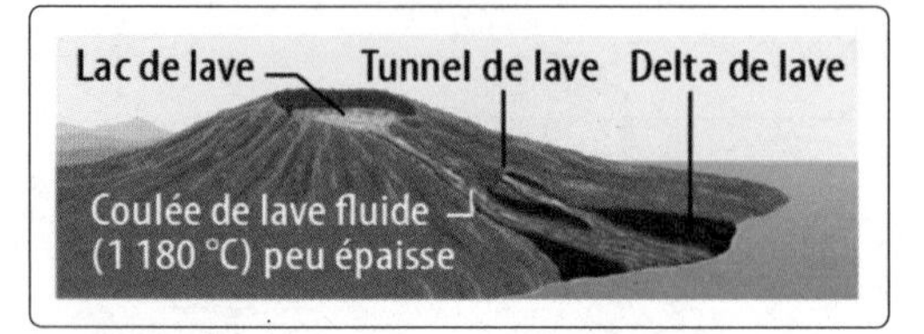

Éruption ....

Coulée de lave

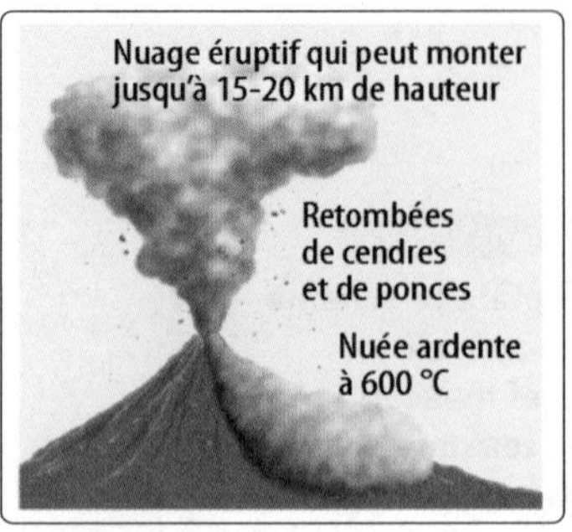

Éruption ....

Nuée ardente

Nuage de cendres